第三版

* 英汉注释

The most popular Chinese textbook for foreigners all over the world at present

汉语会话301句

CONVERSATIONAL CHINESE 301

□ 康玉华 来思平 编著 Kang Yuhua & Lai Siping

下册

BEIJING
UNIV

图书在版编目(CIP)数据

汉语会话 301 句·下 / 康玉华、来思平编著. —3 版
—北京：北京语言大学出版社，2010 重印

ISBN 978 - 7 - 5619 - 1404 - 5

Ⅰ.汉…
Ⅱ.①康…②来…
Ⅲ.汉语－口语－对外汉语教学－教材
Ⅳ.H195.4

中国版本图书馆 CIP 数据核字（2005）第 015272 号

书　　　名：汉语会话 301 句·下
责任印制：陈　辉

出版发行：**北京语言大学出版社**
社　　址：北京市海淀区学院路 15 号　邮政编码：100083
网　　址：www.blcup.com
电　　话：发行部　82303648 / 3591 / 3650
　　　　　编辑部　82303395
　　　　　读者服务部　82303653 / 3908
　　　　　网上订购电话　82303668
　　　　　客户服务信箱　service@blcup.net
印　　刷：北京画中画印刷有限公司
经　　销：全国新华书店

版　　次：2005 年 7 月第 3 版　2010 年 11 月第 10 次印刷
开　　本：787 毫米×1092 毫米　1 / 16　印张：15
字　　数：160 千字　印数：54001 - 59000 册
书　　号：ISBN 978 - 7 - 5619 - 1404 - 5 / H·05015
定　　价：42.00 元

凡有印装质量问题，本社负责调换。电话：82303590
Printed in China

汉语
会话 301 句

第三版前言

　　《汉语会话301句》初版于1990年。1998年修订再版，并被列入"北语对外汉语精版教材"系列。《汉语会话301句》出版过英文、法文、日文和韩文等多个语种的注释本，长销不衰，不同版本累计销量在30万套以上，堪称当今全球最畅销的对外汉语教材。为了不断延续这本经典教材的持久生命力，我社出版了这本教材的第三版。

　　第三版对内容的修订主要体现在两方面。第一，在保留原有语言点的前提下，更换能反映当前社会生活的内容；第二，在增加新内容的基础上，对语言点安排的循序渐进、前后照应进一步细加琢磨，使之趋于完善。

　　第三版在版式和装帧设计上也有很大的改观。开本变小，便于携带；双色印刷，详略更加突出。

　　考虑到国外越来越多的语言学校选用这本教材，作者专门编写了"导读"，供教学参考。为了灵活适应不同教学周期，第三版分为上、下两册。

　　《汉语会话301句》第三版将会陆续出版多个语种的注释本，以满足世界各地不同母语学习者的需求。

北京语言大学出版社

2005年7月

前言

　　《汉语会话301句》是为初学汉语的外国人编写的速成教材。

　　本书共40课，另有复习课8课。40课内容包括"问候"、"相识"等交际功能项目近30个，生词800个左右以及汉语基本语法。每课分句子、会话、替换与扩展、生词、语法、练习等六部分。

　　本书注重培养初学者运用汉语进行交际的能力，采用交际功能与语法结构相结合的方法编写。将现代汉语中最常用、最基本的部分通过生活中常见的语境展现出来，使学习者能较快地掌握基本会话301句，并在此基础上通过替换与扩展练习，达到能与中国人进行简单交际的目的，为进一步学习打下良好的基础。

　　考虑到成年人学习的特点，对基础阶段的语法部分，用通俗易懂的语言，加上浅显明了的例句作简明扼要的解释，使学习者能用语法规律来指导自己的语言实践，从而起到举一反三的作用。

　　练习项目多样，练习量也较大；复习课注意进一步训练学生会话与成段表达，对所学的语法进行归纳总结。各课的练习和复习课可根据实际情况全部或部分使用。

编者

1989 年 3 月

汉语
会话 301 句

PREFACE

Conversational Chinese 301 is intended to be an intensive course book for foreigners who have just started to learn Chinese.

This book consists of 40 lessons and 8 reviews. The 40 lessons encompass nearly 30 communicative functions such as "Greetings" and "Making an Acquaintance", about 800 new words and the fundamentals of Chinese grammar. Each lesson is divided into six parts: Sentences, Conversation, Substitution and Extension, New Words, Grammar, and Exercises.

This book lays emphasis on improving the ability of the learner to use Chinese for communication. It integrates the communicative function with the grammatical structure and presents the most essential and useful part of the language in the linguistic environments one is usually exposed to in daily life, so as to enable the learner to master the 301 basic conversational sentences fairly quickly, and on that basis, through "Substitution and Extension" practice, to acquire the ability to carry on simple conversations with the Chinese. In this way, the book will also help lay a solid foundation for further study.

In view of the characteristics of language learning of the adult, we use not only easy-to-understand language, but also simple grammar. All this will help him use the grammatical rules to guide his own language practice and draw inferences about other cases from one instance.

The exercises are varied and plentiful. The reviews give due attention to improving the conversational and narrative skills of the learner, as well as systematically summarizing the grammar points covered. The exercises in each lesson and the reviews may be used in totality or in part, according to actual circumstances.

The Compilers
March,1989

目　录

CONTENTS

汉语拼音字母表
The Chinese Phonetic Alphabet

印刷体 printed forms	书写体 written forms	字母名称 names	印刷体 printed forms	书写体 written forms	字母名称 names
A a	*A a*	[a]	N n	*N n*	[nɛ]
B b	*B b*	[pɛ]	O o	*O o*	[o]
C c	*C c*	[tsʻɛ]	P p	*P p*	[pʻɛ]
D d	*D d*	[tɛ]	Q q	*Q q*	[tɕʻiou]
E e	*E e*	[ɤ]	R r	*R r*	[ar]
F f	*F f*	[ɛf]	S s	*S s*	[ɛs]
G g	*G g*	[kɛ]	T t	*T t*	[tʻɛ]
H h	*H h*	[xa]	U u	*U u*	[u]
I i	*I i*	[i]	V v	*V v*	[vɛ]
J j	*J j*	[tɕiɛ]	W w	*W w*	[wa]
K k	*K k*	[kʻɛ]	X x	*X x*	[ɕi]
L l	*L l*	[ɛl]	Y y	*Y y*	[ja]
M m	*M m*	[ɛm]	Z z	*Z z*	[tsɛ]

词类简称表
Abbreviations

1.	（名）	名词	míngcí	noun
2.	（代）	代词	dàicí	pronoun
3.	（动）	动词	dòngcí	verb
4.	（能动）	能愿动词	néngyuàn dòngcí	modal verb
5.	（形）	形容词	xíngróngcí	adjective
6.	（数）	数词	shùcí	numeral
7.	（量）	量词	liàngcí	measure word
8.	（副）	副词	fùcí	adverb
9.	（介）	介词	jiècí	preposition
10.	（连）	连词	liáncí	conjunction
11.	（助）	助词	zhùcí	particle
		动态助词	dòngtài zhùcí	aspect particle
		结构助词	jiégòu zhùcí	structural particle
		语气助词	yǔqì zhùcí	modal particle
12.	（叹）	叹词	tàncí	interjection
13.	（象声）	象声词	xiàngshēngcí	onomatopoeia
14.	（头）	词头	cítóu	prefix
15.	（尾）	词尾	cíwěi	suffix

21

邀请
yāoqǐng

INVITATION

请你参加

WILL YOU JOIN US

1 句子 Sentences

141 喂，北大 中文系 吗？
Wèi, Běi-Dà Zhōngwénxì ma?

Hello! Is that the Chinese Department of Peking University?

142 我 是 中文系。①
Wǒ shì Zhōngwénxì.

This is Chinese Department .

143 您 找 哪 位？
Nín zhǎo nǎ wèi?

Who are you looking for ?

144 她 在 楼 下 复印 呢。
Tā zài lóu xià fùyìn ne.

She is duplicating downstairs.

145 请 她 给 我 回 个 电话。
Qǐng tā gěi wǒ huí ge diànhuà.

Plesse tell her to return my call.

146 我 一定 转告 她。
Wǒ yídìng zhuǎngào tā.

I'll certainly tell her about it.

147 现在 你 做 什么 呢？
Xiànzài nǐ zuò shénme ne?

What are you doing there right now?

148 （现在） 在 休息 呢。
(Xiànzài) zài xiūxi ne.

I am having a rest.

2 会话 Conversation

玛丽：喂，北大 中文系 吗？
Mǎlì： Wèi，Běi-Dà Zhōngwénxì ma?

中文系：对，我 是 中文系。 您 找 哪 位？
Zhōngwénxì： Duì，wǒ shì Zhōngwénxì. Nín zhǎo nǎ wèi?

玛丽：李红 老师 在 吗？
Mǎlì： Lǐ Hóng lǎoshī zài ma?

中文系：不在，她 在 楼下 复印 呢。您 找 她 有 什么 事？
Zhōngwénxì： Bú zài，tā zài lóu xià fùyìn ne. Nín zhǎo tā yǒu shénme shì?

玛丽：她 回来 以后， 请 她 给 我 回 个 电话。
Mǎlì： Tā huí lai yǐhòu， qǐng tā gěi wǒ huí ge diànhuà.

我 叫 玛丽。
Wǒ jiào Mǎlì.

中文系：好，我 一定 转告 她。
Zhōngwénxì： Hǎo，wǒ yídìng zhuǎngào tā.

她 知道 您 的 电话 吗？
Tā zhīdào nín de diànhuà ma?

玛丽：知道，谢谢！
Mǎlì： Zhīdào，xièxie!

中文系：不客气。
Zhōngwénxì： Bú kèqi.

李红： 喂，玛丽 吗？刚才 你 给 我 打 电话 了？
Lǐ Hóng： Wèi, Mǎlì ma? Gāngcái nǐ gěi wǒ dǎ diànhuà le?

玛丽： 是 啊，现在 你 做 什么 呢？
Mǎlì： Shì a, xiànzài nǐ zuò shénme ne?

李红： 在 休息 呢。
Lǐ Hóng： Zài xiūxi ne.

玛丽： 告诉 你，明天 晚上 有 个 圣诞 节
Mǎlì： Gàosu nǐ, míngtiān wǎnshang yǒu ge Shèngdàn Jié

晚会， 请 你 参加。
wǎnhuì, qǐng nǐ cānjiā.

李红： 好，我 一定 去。
Lǐ Hóng： Hǎo, wǒ yídìng qù.

玛丽： 晚上 八点，我 在 友谊 宾馆 门口 等 你。
Mǎlì： Wǎnshang bā diǎn, wǒ zài Yǒuyì Bīnguǎn ménkǒu děng nǐ.

李红： 王 老师 也 去 吗？
Lǐ Hóng： Wáng lǎoshī yě qù ma?

玛丽： 去，跟 她 先生 一起 去。
Mǎlì： Qù, gēn tā xiānsheng yìqǐ qù.

李红： 那 好极 了！
Lǐ Hóng： Nà hǎo jí le!

注释：Notes

① "我是中文系。" This is Chinese Department

电话用语。表示接电话的人所在的单位。

It is a telephone expression denoting the unit where the person who answers the phone works.

3 替换与扩展 Substitution and Extension

▶ 替换

1. 我一定转告她。	告诉	通知	叫	帮助

2. A: 现在你做什么呢?	复印	看报	跳舞	发短信
B: 在休息呢。	作练习	听录音	看电视	上网

3. 明天晚上我们有个	星期天	新年晚会
圣诞节晚会。	星期六晚上	舞会
	新年的时候	音乐会

▶ 扩展

1. 里边　正在　开新年　晚会，　他们　在　唱　歌呢，
　　Lǐbiān zhèngzài kāi xīnnián wǎnhuì, tāmen zài chàng gē ne,

快　进去吧。
kuài jìn qu ba.

2.明天　　上午　　去 参观，　八 点　在　留学生　楼
Míngtiān shàngwǔ qù cānguān, bā diǎn zài liúxuéshēng lóu

前边　　上　　车。　请　通知　一下儿。
qiánbiān shàng chē. Qǐng tōngzhī yíxiàr.

4

生 词 New Words

1	参加	（动）	cānjiā	to participate
2	喂	（叹）	wèi	hello
3	中文	（名）	Zhōngwén	Chinese
4	系	（名）	xì	department
5	位	（量）	wèi	(a measure word for people)
6	复印	（动）	fùyìn	to copy
7	一定	（副、形）	yídìng	certainly ; certain
8	转告	（动）	zhuǎngào	to pass on, to tell
9	刚才	（名）	gāngcái	just now
10	晚会	（名）	wǎnhuì	evening party
11	门口	（名）	ménkǒu	doorway
12	通知	（动、名）	tōngzhī	to inform; notice
13	帮助	（动、名）	bāngzhù	to help; help
14	报	（名）	bào	newspaper
15	跳舞		tiào wǔ	dance

16	作	（动）	zuò	do ; make
17	新年	（名）	xīnnián	New Year
18	舞会	（名）	wǔhuì	dance party
19	里边	（名）	lǐbiān	inside
20	正在	（副）	zhèngzài	in the midst of
21	开	（动）	kāi	to have (a meeting)
22	唱	（动）	chàng	to sing
23	歌	（名）	gē	song
24	参观	（动）	cānguān	to visit

专名 Proper Names

1	李红	Lǐ Hóng	Li Hong (name of a person)
2	圣诞节	Shèngdàn Jié	Christmas Day
3	友谊宾馆	Yǒuyì Bīnguǎn	Friendship Hotel

5 语 法 Grammar

动作的进行 The continuous action

❶ 一个动作可以处在进行、持续、完成等不同的阶段。要表示动作正在进行，可在动词前加副词 "正在"、"正"、"在"，或在句尾加语气助词 "呢"。有时 "正在"、"正"、"在" 也可以和 "呢" 同时使用。例如：

An action may undergo different stages. It may be in progress or may have completed. One can add an adverb ("正在", "正" or "在") before the verb or the modal particle "呢" at the end of the sentence to show that the action is going on. Occasionally, "正在", "正" or

"在"can be used with "呢" in the same sentence, e.g.

    (1) 学生正在上课(呢)。

    (2) 他来的时候，我正看报纸(呢)。

    (3) 他在听音乐(呢)。

    (4) 他写信呢。

❷ 一个进行的动作可以是现在，也可以是过去或将来。例如：

An activity may be in progress at present or at a point of time in the future. It may have been in progress at a point of time in the past as well, e.g.

    (1) 你做什么呢?

        ——休息呢。(现在 present)

    (2) 昨天我给你打电话的时候，你做什么呢?

        ——我作练习呢。(过去 past)

    (3) 明天上午你去找他，他一定在上课。(将来 future)

6   练 习 Exercises

❶ 用 "正在……呢" 完成句子并用上括号里的词语 Complete the following sentences with "正在…呢" and the words in the parentheses

    (1) 今天有舞会，他们＿＿＿＿＿＿＿。(跳舞)

    (2) 你看，玛丽＿＿＿＿＿＿＿。(打电话)

    (3) 今天天气不错，王兰和她的朋友＿＿＿＿＿＿＿。(照相)

    (4) 和子＿＿＿＿＿＿＿。(洗衣服)

❷ 仿照例子，造"正在……呢" 的句子 Make sentences with "正在…呢" by following the model

例：去他家　看书 → 昨天我去他家的时候，他正在看书呢。

(1) 去邮局　　　寄信

(2) 去他宿舍　　睡觉

(3) 去看他　　　喝咖啡

(4) 到动物园　　看熊猫

(5) 到车站　　　等汽车

(6) 到银行　　　换钱

3 完成对话 Complete the conversation

A：喂，张老师家吗？

B：对，＿＿＿＿＿＿＿？

A：我找＿＿＿＿＿＿。

B：我就是，你是谁啊？

A：＿＿＿＿＿＿＿。您好吗？

B：我很好。

A：今天晚上我请您看电影, 好吗？

B：＿＿＿＿＿＿＿。什么时候去？

A：＿＿＿＿＿＿＿。

4 练习打电话 Make telephone calls

(1) A 邀请 B 去听音乐会

提示：时间、地点(dìdiǎn place)；音乐会怎么样？怎么去？

A invites B to a concert

Suggested points: time, place; How is the concert? How to go there?

(2) A 邀请 B 去饭店吃饭

提示：时间, 地点;怎么去? 吃什么?

A invites B to a restaurant

Suggested points: time, place; How to go there? What to eat?

⑤ 听述 Listen and retell

汉斯(Hànsī, Hans)来了，今天我们公司请他参加欢迎会(huì, meeting)。
下午两点钟，翻译小王打电话通知他，告诉他五点半在房间等我
们，我们开车去接他。

欢迎会开得很好，大家为友谊干杯，为健康干杯，像一家人一样。

⑥ 语音练习 Phonetic drills

(1) 常用音节练习 Drill on frequently used syllables

jian	shíjiān	时间	xiang	xiāngzi	箱子
	jiǎnchá	检查		xiǎngxiàng	想像
	jiànkāng	健康		zhào xiàng	照相

(2) 朗读会话 Read aloud the conversation

A: Wèi, shì yāo èr líng wǔ fángjiān ma?

B: Shì de. Qǐng wèn nǐ zhǎo nǎ wèi?

A: Qǐng jiào Dàwèi jiē diànhuà.

B: Hǎo de. Qǐng děng yíxiàr.

A: Máfan nǐ le, xièxie!

22

我不能去

I CAN'T GO

句子 Sentences

149 我 买 了 两 张 票。   I have bought two tickets.
Wǒ mǎile liǎng zhāng piào.

150 真 不 巧， 我 不 能 去。   Unfortunately I can't go.
Zhēn bù qiǎo, wǒ bù néng qù.

151 今天 你 不 能 去，那 就   If you can't go today, we'd better
Jīntiān nǐ bù néng qù, nà jiù   put the matter aside for the moment.

以后 再 说 吧。
yǐhòu zài shuō ba.

152 我 很 想 去，可是我 有   I'd like to go, but I have a date.
Wǒ hěn xiǎng qù, kěshì wǒ yǒu

个 约会。
ge yuēhuì.

153 你 是 跟 女 朋友 约会 吗？   Will you have a date with your
Nǐ shì gēn nǚ péngyou yuēhuì ma?   girlfriend?

154 有 个 同学 来 看 我，我   A classmate of mine is coming to
Yǒu ge tóngxué lái kàn wǒ, wǒ   see me, so I have to wait for him.

要 等 他。
yào děng tā.

155 我们 好 几年 没 见 面 了。 We haven't seen each other for
Wǒmen hǎo jǐ nián méi jiàn miàn le. a number of years.

156 这 星期 我 没 空儿。 I am fully occupied this week.
Zhè xīngqī wǒ méi kòngr.

2 会话 Conversation

丽英: 我 买 了 两 张 票。 请 你 看 话剧。
Lìyīng: Wǒ mǎile liǎng zhāng piào. Qǐng nǐ kàn huàjù.

玛丽: 是 吗?① 什么 时候 的?
Mǎlì: Shì ma? Shénme shíhou de?

丽英: 今天 晚上 七点 一刻 的。
Lìyīng: Jīntiān wǎnshang qī diǎn yīkè de.

玛丽: 哎呀, 真 不巧, 我 不能 去。 明天 就 考试
Mǎlì: Āiyā, zhēn bù qiǎo, wǒ bù néng qù. Míngtiān jiù kǎoshì

了，晚上　　要　复习。
le,　wǎnshang　yào　fùxí.

丽英：　那　就　以后　再　说② 吧。
Lìyīng:　Nà　jiù　yǐhòu　zài　shuō　ba.

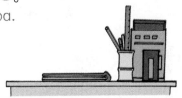

2.....

王兰：　明天　有　个　画展，　你能　去吗?
Wáng Lán:　Míngtiān yǒu　ge　huàzhǎn,　nǐ néng qù ma?

大卫：　我　很　想　去，可是　明天　有个　约会。
Dàwèi:　Wǒ　hěn　xiǎng qù,　kěshì　míngtiān yǒu ge　yuēhuì.

王兰：　怎么?　是 跟 女 朋友　约会　吗?③
Wáng Lán:　Zěnme?　Shì gēn　nǚ péngyou yuēhuì　ma?

大卫：　不 是，有 个 同学　来 看 我，我 要 等 他。
Dàwèi:　Bú shì,　yǒu ge tóngxué ·lái kàn wǒ,　wǒ yào děng tā.

王兰：　他 也 在 北京 学习 吗?
Wáng Lán:　Tā yě zài Běijīng xuéxí ma?

大卫：　不，刚 从 法国来。　我们　好 几年 没 见 面 了。
Dàwèi:　Bù,　gāng cóng Fǎguó lái. Wǒmen　hǎo jǐ nián méi jiàn miàn le.

王兰：　你 应该　陪 他 玩儿 玩儿。
Wáng Lán:　Nǐ yīnggāi　péi tā wánr wánr.

大卫：　这 星期 我 没 空儿，下 星期 我们　再去
Dàwèi:　Zhè xīngqī wǒ méi kòngr,　xià　xīngqī wǒmen　zài qù

看　画展，　可以　吗？
kàn huàzhǎn, kěyǐ ma?

王兰： 我　再　问问，　以后　告诉　你。
Wáng Lán： Wǒ zài wènwen, yǐhòu gàosu nǐ.

大卫： 好。
Dàwèi： Hǎo.

注释： Notes

① "是吗？" Really?

表示原来不知道某事，听说后觉得有点儿意外。有时还表示不太相信。

The expression is used to show that one is surprised at hearing something he is not aware of, or is sometimes skeptical about it.

② "再说"

"再说"表示把某件事留待以后再办理或考虑。

"再说"expresses that something can be put off for later consideration or treatment.

③ "怎么？是跟女朋友约会吗？" Why? Will you have a date with your girlfriend?

"怎么？"是用来询问原因的。"是" 用来强调后边内容的真实性。

"怎么" is used to inquire about the reason. "是"stresses the truthfulness of the following content.

3 替换与扩展 Substitution and Extension

▶ 替换

1. 我<u>买</u>了两<u>张票</u>。

翻译	句子(个)	寄	信(封)
参加	会(个)	要	出租汽车(辆)

2. 我们好<u>几年</u>没见面了。

几天	几个月
长时间	几个星期

3. 你应该<u>陪</u>他<u>玩儿玩儿</u>。

带	参观	帮	问
帮助	复习	请	介绍

▶ 扩展

1. 我 正 要去找 你，你就来了，太巧了。
   Wǒ zhèng yào qù zhǎo nǐ, nǐ jiù lái le, tài qiǎo le.

2. A: 那 个 姑娘 真 漂亮。 她 是 谁?
   Nà ge gūniang zhēn piàoliang. Tā shì shuí?

   B: 她 是 那 个 高 个子 的 女 朋友。
   Tā shì nà ge gāo gèzi de nǚ péngyou.

4

生 词 New Words

1	巧	（形）	qiǎo	fortunately
2	再说		zài shuō	put off until some time later
3	可是	（连）	kěshì	however, but
4	约会	（名、动）	yuēhuì	date, appointment; to date
5	女	（名）	nǚ	woman, female
6	同学	（名）	tóngxué	classmate
7	空儿	（名）	kòngr	free time
8	好	（副）	hǎo	very well, alright
9	见面		jiàn miàn	to meet, to see
10	话剧	（名）	huàjù	stage play
11	复习	（动）	fùxí	review
12	画展	（名）	huàzhǎn	exhibition of paintings
13	刚	（副）	gāng	just now
14	陪	（动）	péi	to accompany
15	句子	（名）	jùzi	sentence
16	封	（量）	fēng	(a measure word for something enveloped)
17	会	（名）	huì	meeting
18	正	（副）	zhèng	just, right
19	高	（形）	gāo	tall

20	男	（名）	nán	man, male
21	姑娘	（名）	gūniang	girl
22	漂亮	（形）	piàoliang	beautiful
23	个子	（名）	gèzi	height

5   语　法 Grammar

1 时段词语作状语 Words or phrases of duration as adverbial adjuncts

时段词语作状语表示在此段时间内完成了什么动作或出现了什么情况。例如：

A word or phrase of duration indicates a period of time in which some action was completed or something occurred, when it is used as an adverbial adjunct, e.g.

(1) 他两天看了一本书。

(2) 我们好几年没见面了。

2 动态助词"了" The aspect particle "了"

❶ 在动词之后表示动作所处阶段的助词叫动态助词。动态助词"了"在动词后边表示动作的完成。有宾语时，宾语常带数量词或其他定语。例如：

A particle is called an aspect particle when it is used to indicate the stage which an action has reached. The particle "了" usually indicates the completion of the action denoted by a verb when it comes after that verb. When "了" is followed by an object, that object is often preceded by a numeral-measure compound or some other attributive, e.g.

(1) 我昨天看了一个电影。

(2) 玛丽买了一辆自行车。

(3) 我收到了他寄给我的东西

❷ 动作完成的否定是在动词前加"没(有)"，动词后不再用"了"。例如：

To show that an action has failed to occur, one adds "没有" before the verb and omits "了" at the same time, e.g.

(4) 他没来。　　　　　(5) 我没(有)看电影。

6 练 习 Exercises

1 用 "可是" 完成句子 Complete the sentences with "可是"

(1) 他六十岁了，_____。

(2) 今天我去小王家找他，_____。

(3) 他学汉语的时间不长，_____。

(4) 这种苹果不贵，_____。

(5) 我请小王去看电影，_____。

2 给词语选择适当的位置 Insert the given words into the following sentence sat the suitable places

(1) 他A没来中国B了。（两年）

(2) 你A能看完这本书B吗？（一个星期）

(3) 昨天我复印A两课生词B。（了）

(4) 我参观完A画展B。（了）

3 仿照例子用动态助词 "了" 造句 Make sentences with the aspect particle "了" by following the model

> 例：买 词典 → 昨天我买了一本词典。

(1) 喝　　啤酒

(2) 照　　照片

(3) 复习　两课生词

(4) 翻译　几个句子

(5) 开　　会

(6) 买　　纪念邮票

4 完成对话 Complete the conversations

(1) A：今天晚上有舞会，_____?

　　B：大概不行。

A：_____?

B：学习太忙，没有时间。

A：你知道王兰能去吗？

B：_____。

A：真不巧。

（2）A：圣诞节晚会你唱个中文歌吧。

B：_____。

A：别客气。

B：不是客气，我_____。

A：我听你唱过。

B：那是英文歌。

⑤ 会话 Conversations

（1）你请朋友星期日去长城，他说星期日有约会，不能去。

You invite your friend to go visiting the Great Wall on Sunday, but he says he will have a date on sunday and can't go.

（2）你请朋友跟你跳舞，他说他不会跳舞。

You invite your friend to dance together with you, but he says he can't dance.

⑥ 用所给的词语填空并复述 Fill in the blanks with the given expressions and retell

| 演 | 太巧了 | 陪 | 顺利 |

昨天晚上王兰_____玛丽去看京剧。她们从学校前边坐331路汽车去。_____，她们刚走到汽车站，车就来了。车上人不多，她们很_____。

京剧_____得很好，很有意思。

7 语音练习 Phonetic drills

(1) 常用音节练习 Drill on frequently used syllables

	zhúzi	竹子		láiguo	来过
zhu	zhǔrén	主人	lai	hòulái	后来
	zhùyì	注意		chūlai	出来

(2) 朗读会话 Read aloud the conversation

A: Nín hē píjiǔ ma ?

B: Hē, lái yì bēi ba.

A: Hē bu hē pútaojiǔ?

B: Bù hē le.

A: Zhè shì Zhōngguó yǒumíng de jiǔ, hē yìdiǎnr ba.

B: Hǎo, shǎo hē yìdiǎnr.

A: Lái, gān bēi!

对不起

I AM SORRY

1
句子 Sentences

157 对不起，让 你 久 等 了。
Duìbuqǐ, ràng nǐ jiǔ děng le.

I am sorry to have kept you waiting for so long.

158 你 怎么 八点 半 才 来?
Nǐ zěnme bā diǎn bàn cái lái?

Why didn't you come until half past eight?

159 真 抱歉，我 来 晚 了。
Zhēn bàoqiàn, wǒ lái wǎn le.

I am sorry I am late.

160 半 路上 我 的 自行车 坏 了。
Bàn lù shang wǒ de zìxíngchē huài le.

My bike broke down on my way here.

161 自行车 修好 了 吗?
Zìxíngchē xiū hǎo le ma?

Have you fixed your bike?

162 我 怎么 能 不来 呢?
Wǒ zěnme néng bù lái ne?

How could I fail to come?

163 我们 快 进 电影院 去吧。
Wǒmen kuài jìn diànyǐngyuàn qu ba.

Let's go into the cinema right now.

164 星期日 我 买 到 一本 新 小说。
Xīngqīrì wǒ mǎi dào yì běn xīn xiǎoshuō.

I bought a new novel last Sunday.

2 会话 Conversation

大卫： 对不起， 让 你 久 等 了。
Dàwèi： Duìbuqǐ, ràng nǐ jiǔ děng le.

玛丽： 我们 约 好 八点， 你 怎么 八点 半 才 来?
Mǎlì： Wǒmen yuē hǎo bā diǎn, nǐ zěnme bā diǎn bàn cái lái?

大卫： 真 抱歉， 我 来 晚 了。半 路 上 我 的
Dàwèi： Zhēn bàoqiàn, wǒ lái wǎn le. Bàn lù shang wǒ de

自行车 坏 了。
zìxíngchē huài le.

玛丽： 修好 了 吗?
Mǎlì： Xiū hǎo le ma?

大卫： 修好 了。
Dàwèi： Xiū hǎo le.

玛丽： 我 想 你 可能 不 来 了。
Mǎlì： Wǒ xiǎng nǐ kěnéng bù lái le.

大卫： 说 好 的, 我 怎么 能 不 来 呢?
Dàwèi： Shuō hǎo de. wǒ zěnme néng bù lái ne?

玛丽： 我们 快 进 电影院 去吧。
Mǎlì： Wǒmen kuài jìn diànyǐngyuàn qu ba.

大卫： 好。
Dàwèi： Hǎo.

玛丽： 刘京，还 你 词典，用 的 时间 太 长 了，
Mǎlì： Liú Jīng, huán nǐ cídiǎn, yòng de shíjiān tài cháng le,

请 原谅！
qǐng yuánliàng!

刘京： 没 关系，你 用 吧。
Liú Jīng： Méi guānxi, nǐ yòng ba.

玛丽： 谢谢，不 用 了。星期日 我 买到 一本 新
Mǎlì： Xièxie, bú yòng le. Xīngqīrì wǒ mǎi dào yì běn xīn

小说。
xiǎoshuō.

刘京： 英文 的 还是 中文 的？
Liú Jīng： Yīngwén de háishi Zhōngwén de?

玛丽： 英文 的。 很 有意思。
Mǎlì： Yīngwén de. Hěn yǒu yìsi.

刘京： 我 能 看懂 吗？
Liú Jīng： Wǒ néng kàn dǒng ma?

玛丽： 你 英文 学 得 不错，我 想 能 看懂。
Mǎlì： Nǐ Yīngwén xué de búcuò, wǒ xiǎng néng kàn dǒng.

刘京： 那 借 我 看看，行 吗？
Liú Jīng： Nà jiè wǒ kànkan, xíng ma?

玛丽： 当然 可以。
Mǎlì： Dāngrán kěyǐ.

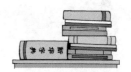

3 替换与扩展　Substitution and Extension

替换

1.我们快进电影院去吧。	进电梯	进食堂	回学校
	上楼	回家	下楼

2.借我看看这本 小说，行吗?	骑	辆	自行车
	用	个	照相机
	用	支	笔

扩展

1.那 个 随身听 我 弄 坏 了。
　Nà ge suíshēntīng wǒ nòng huài le.

2.A: 对不起，弄 脏 你 的 本子 了。
　　Duìbuqǐ, nòng zāng nǐ de běnzi le.

　B: 没 什么。
　　Méi shénme.

4 生 词　New Words

1	对不起		duìbuqǐ	I m sorry
2	让	(动、介)	ràng	to let
3	久	(形)	jiǔ	long
4	才	(副)	cái	just
5	抱歉	(形)	bàoqiàn	sorry
6	坏	(形)	huài	bad, broken
7	修	(动)	xiū	to fix, to repair
8	电影院	(名)	diànyǐngyuàn	cinema
9	小说	(名)	xiǎoshuō	novel
10	约	(动)	yuē	to arrange
11	可能	(能愿、形、名)	kěnéng	may, can; possibility
12	还	(动)	huán	to return
13	用	(动)	yòng	to use
14	原谅	(动)	yuánliàng	to apologize
15	没关系		méi guānxi	It doesn't matter.
16	英文	(名)	Yīngwén	English
17	借	(动)	jiè	to borrow
18	电梯	(名)	diàntī	lift
19	支	(量)	zhī	(measure word for long, thin, inflexible objects)
20	随身听	(名)	suíshēntīng	walkman
21	弄	(动)	nòng	to play with, to ruin
22	脏	(形)	zāng	dirty

5　语　法　Grammar

1 形容词 "好" 作结果补语 The adjective "好" as a complement of result

❶ 表示动作完成或达到完善的地步。例如：

It indicates the completion or accomplishment of an action, e.g.

(1) 饭已经(yǐjing already) 做好了。

(2) 我一定要学好中文。

❷ "好" 作结果补语，有时也表示 "定" 的意思。例如：

"好" as a complement of result occasionally means "定"，e.g.

(3) 我们说好了八点去。

(4) 时间约好了。

2 副词 "就"、"才" The adverbs "就" and "才"

　　副词 "就"、"才" 有时可以表示时间的早、晚、快、慢等。"就" 一般表示事情发生得早、快或进行得顺利；"才" 相反，一般表示事情发生得晚、慢或进行得不顺利。例如：

The adverbs "就" and "才" are sometimes used to express such concepts as "early", "late" "quick" and "slow". "就" normally indicates that an action has been completed earlier and sooner than expected or without a hitch, while the opposite is true of "才"，e.g.

(1) 八点上课，他七点半就来了。(早)

　　八点上课，他八点十分才来。(晚)

(2) 昨天我去北京饭店，八点坐车，八点半就到了。(早)

　　今天我去北京饭店，八点坐车，九点才到。(晚)

3 趋向补语(2) The directional complement

❶ 如果动词后有趋向补语又有表示处所的宾语时，处所宾语一定要放在动词和补语之间。例如：

If the verb is followed by both a directional complement and a locational object, the object should be put between the verb and the complement, e.g.

(1) 你快下楼来吧。

(2) 上课了,老师进教室来了。

(3) 他到上海去了。

(4) 他回宿舍去了。

❷ 如果是一般宾语(不表示处所),可放在动词和补语之间,也可放在补语之后。一般来说,动作未实现的在"来(去)"之前,已实现的在"来(去)"之后。

An ordinary object (not indicating a place) may be put between the verb and the complement, or after the complement. As a rule, if the action is not accomplished, the object is put before "来(去)"; if the action is finished, however, the object is put after "来(去)", e.g.

(5) 我想带照相机去。

(6) 他没买苹果来。

(7) 我带去了一个照相机。

(8) 他买来了一斤苹果。

6 练 习 Exercises

❶ **给下面的对话填上适当的结果补语并朗读** Supply the missing complements of result for the following dialogue and then read alond it

A:小王,你的自行车修＿＿＿＿＿了吗?

B:还没修＿＿＿＿＿呢。你要用吗?

A:是。我想借一辆自行车,还没借＿＿＿＿＿。

B:小刘有一辆,你去问问他。

A:问过了,他的自行车也弄＿＿＿＿＿了。

B:真不巧。

❷ **看图用动词加"来"或"去"完成对话** Look at the pictures and talk about them (using verbs plus "来" or "去")

(1) A：小刘，你快_____吧，我在
楼下等你。

B：现在我就_____。

(2) A：八点了，你怎么还不_____？

B：今天星期天，我想晚一点儿
_____。

(3) A：小王在吗?

B：他不在。他_____家
_____了。

A：他什么时候_____家
_____的?

B：不知道。

(4) A：外边太冷，我们_____里边
_____吧。

B：刚_____，一会儿再
_____吧。

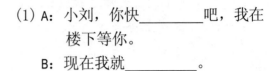 **完成对话** Complete the following dialogues

(1) A: _____，我来晚了。

   B: 上课十分钟了，为什么来晚了？

   A: _____。

   B: 以后早点儿起床。请坐！

   A: _____。

(2) A: 请借我用一下儿你的词典。

   B: _____。

   A: 他什么时候能还你？

   B: _____，我去问问他。

   A: 不用了，我去借小王的吧。

   B: _____。

4 会话 Conversational practice

(1) 你借了同学的自行车，还车的时候你说你骑坏了自行车，表示道歉。

   You have borrowed a bicycle from one of your classmates. You make an apology to him (or her) for having broken it down at the time when you return it to him (or her).

(2) 你的朋友要借你的照相机用用，你说别人借去了。

   Your friend wants to borrow your camera. You tell him (or her) that you have lent it to somebody.

5 听述 Listen and retell

　　我和小王约好今天晚上去舞厅（wǔtīng balloom）跳舞。下午我们两个人先去友谊商店买东西。从友谊商店出来以后，我去看一个朋友，小王去王府井。我在朋友家吃晚饭，六点半我才从朋友家出来。到舞厅门口的时候，七点多了，小王正在那里等我。我说："来得太晚了，真抱歉，请原谅。"他说："没关系。"我们就一起进舞厅去了。

6 语音练习 Phonetic drills

（1）常用音节练习 Drill on the frequently used syllables

sheng	liúxuéshēng	留学生	dong	dōngtiān	冬天
	Shèngdàn Jié	圣诞节		dǒng shì	懂事
	xuésheng	学生		huódòng	活动

（2）朗读会话 Read aloud the conversation

A: Māma, xiànzài wǒ chū qu kàn péngyou.

B: Shénme shíhou huí lai?

A: Dàgài wǎnshang shí diǎn duō.

B: Tài wǎn le.

A: Wǒmen yǒu diǎnr shì, nín bié děng wǒ, nín xiān shuì.

B: Hǎo ba, bié tài wǎn le.

24

遗憾
yíhàn

REGRET

真遗憾，我没见到他

IT IS REALLY A PITY THAT I HAVEN'T SEEN HIM

1 句子 Sentences

165 地上 怎么 乱七八糟 的?
Dìshang zěnme luàn qī bā zāo de?

Why does the floor look so messy?

166 是 不 是 你 出差 没 关
Shì bu shì nǐ chū chāi méi guān

窗户?
chuānghu?

Did you forget to close the windows before going on a business trip?

167 忘 关 窗户 了。
Wàng guān chuānghu le.

I forgot to close the window.

168 花瓶 也 摔 碎 了。
Huāpíng yě shuāi suì le.

The vase is also broken.

169 太 可惜 了。
Tài kěxī le.

What a pity!

170 公司 有 急事, 让 他
Gōngsī yǒu jí shì, ràng tā

马上 回国。
mǎshàng huí guó.

Tell him to return from abroad immediately, because there is something urgent at the company.

171 他 让 我 告诉 你, 多 跟
Tā ràng wǒ gàosu nǐ, duō gēn

他 联系。
tā liánxì.

He asked me to tell you to get in close touch with him.

172 真 遗憾, 我 没 见到 他。
Zhēn yíhàn, wǒ méi jiàn dào tā.

It is really a pity that I haven't seen him.

2 会话 Conversation

尼娜: 我 两 天 不 在, 地上 怎么 乱七八糟 的?
Nínà: Wǒ liǎng tiān bú zài, dìshang zěnme luàn qī bā zāo de?

丽英: 是 不 是 你 出差 没 关 窗户? 昨天 的
Lìyīng: Shì bu shì nǐ chū chāi méi guān chuānghu? Zuótiān de

风 很 大。
fēng hěn dà.

尼娜: 哎呀, 忘 关 了, 真 糟糕!
Nínà: Āiyā, wàng guān le, zhēn zāogāo!

丽英: 以后 出门 一定 要 关 好 窗户。
Lìyīng: Yǐhòu chū mén yídìng yào guān hǎo chuānghu.

尼娜: 你 看, 花瓶 也 摔 碎 了。
Nínà: Nǐ kàn, huāpíng yě shuāi suì le.

丽英：　是 大卫　送　给 你 的 那 个 吗?
Lìyīng：　Shì Dàwèi sòng gěi nǐ de nà ge ma?

尼娜：　是，那 是 他 给 我 的　生日　礼物，
Nínà：　Shì, nà shì tā gěi wǒ de shēngri lǐwù.

丽英：　太 可惜 了。
Lìyīng：　Tài kěxī le.

2......

刘京：　昨天　李成日　回 国 了。
Liú Jīng：　Zuótiān Lǐ Chéngrì huí guó le.

和子：　我 怎么 不 知道?
Hézǐ：　Wǒ zěnme bù zhīdào?

刘京：　公司 有 急 事，让 他 马上　回国。
Liú Jīng：　Gōngsī yǒu jí shì, ràng tā mǎshàng huí guó.

和子：　真 不 巧，我 还 有 事 找 他 呢。
Hézǐ：　Zhēn bù qiǎo, wǒ hái yǒu shì zhǎo tā ne.

刘京：　昨天　我 和他 都 给 你 打 电话 了，你 不 在。
Liú Jīng：　Zuótiān wǒ hé tā dōu gěi nǐ dǎ diànhuà le, nǐ bú zài.

和子：　我 在 张 老师　那儿。
Hézǐ：　Wǒ zài Zhāng lǎoshī nàr.

刘京：　他 让 我 告诉　你，多 跟　他 联系。
Liú Jīng：　Tā ràng wǒ gàosu nǐ, duō gēn tā liánxì.

和子：　真 遗憾，我 没 见 到 他。
Hézǐ：　Zhēn yíhàn, wǒ méi jiàn dào tā.

3 替换与扩展 Substitution and Extension

替换

1. <u>公司</u>让他马上<u>回国</u>。

经理	出差
老师	翻译生词
玛丽	关窗户

2. 他让我告诉你，<u>多跟他联系</u>。

马上去开会	常给他写信
明天见面	他回国了
常给他发电子邮件	

扩展

1. 王　先生　去上海　出差了，是不是？
   Wáng xiānsheng qù Shànghǎi chū chāi le, shì bu shì?

2. 我家的花儿都　开了，有红的、黄的、
   Wǒ jiā de huār dōu kāi le, yǒu hóng de、huáng de、

   白的，漂亮　极了。
   bái de, piàoliang jí le.

4 生词 New Words

1	遗憾	（形）	yíhàn	sorry
2	见	（动）	jiàn	to see
3	地	（名）	dì	floor, ground
4	乱七八糟		luàn qī bā zāo	in a mess
5	出差		chū chāi	be on a business trip
6	关	（动）	guān	to close
7	窗户	（名）	chuānghu	window
8	忘	（动）	wàng	to forget
9	花瓶	（名）	huāpíng	vase
10	摔	（动）	shuāi	to throw
11	碎	（形）	suì	broken
12	可惜	（形）	kěxī	pity
13	急	（形）	jí	urgent
14	马上	（副）	mǎshàng	at once, immediately
15	联系	（动、名）	liánxì	to contact; contact
16	风	（名）	fēng	wind
17	糟糕	（形）	zāogāo	bad, terrible
18	出门		chū mén	go out
19	礼物	（名）	lǐwù	present
20	红	（形）	hóng	red
21	黄	（形）	huáng	yellow
22	白	（形）	bái	white

专名 Proper Names

尼娜	Nínà	Nina (name of a person)

5 语 法 Grammar

1 用动词"让"的兼语句 The pivotal sentence with the verb "让"

跟用"请"的兼语句句式一样，动词"让"构成的兼语句也有要求别人做某事的意思。只是用"请"的兼语句用于比较客气的场合。例如：

Like a pivotal sentence with the verb "请", a pivotal sentence with the verb "让" also has the meaning of asking somebody to do something. The only difference is that the former is used in a more polite situation, e.g.

(1) 他让我带东西。

(2) 公司让他回国。

(3) 我让他给我照张相。

(4) 他让我告诉你，明天去他家。

2 "是不是"构成的正反疑问句 The affirmative-negative question with "是不是"

对某一事实或情况已有估计，为了进一步证实，就用"是不是"构成的疑问句提问。"是不是"可以在谓语前，也可在句首或句尾。例如：

The affirmative-negative question with "是不是" is used to confirm what the speaker already believes. "是不是" can be placed before the predicate or at the beginning of the sentence or at the end, e.g.

(1) 是不是你的照相机坏了？

(2) 李成日先生是不是回国了？

(3) 这个电影都看过了，是不是？

6 练 习 Exercises

1 熟读下列词组并选择造句 Read until fluent the following phrases and make sentences with some of them

真　可惜
遗憾
糟糕
不好意思

让　我还书
小王修自行车
我跟他见面
我们写汉字
他们听音乐

2 完成对话（用上表示遗憾的词语）Complete the conversations (using words expressing regret)

(1) A：听说你的手机坏了。
　　B：是啊，上个月刚买的。
　　A：＿＿＿＿＿＿＿。

(2) A：昨天晚上的杂技好极了，你怎么没去看？
　　B：我有急事，＿＿＿＿＿＿＿。
　　A：听说这个星期六还演呢。
　　B：那我一定去看。

3 按照实际情况回答问题 Answer the questions according to actual circumstances

(1) 你汉语说得怎么样？
(2) 昨天的课你复习没复习？
(3) 今天你出门的时候，关好窗户了没有？
(4) 你有没有遗憾的事？

4 把下面对话中B的话改成"是不是"的问句 Change the part B of the conversation into questions with "是不是"

(1) A：今天我去找小王，他不在。

　　B：大概他回家了。

(2) A：不知道为什么飞机晚点了。

　　B：我想可能是天气不好。

5 **听述** Listen and retell

　　昨天星期日，早上张老师去买菜。中午他爱人要做几个菜，请朋友们在家吃饭。

　　很快，菜就买回来了。红的、绿的(lǜ green)、白的、黄的……他爱人看了说："这菜又新鲜(xīnxiān fresh)又好看。"张老师说："好吃不好吃，就看你做得怎么样了！"他爱人说："让你买的肉(ròu meat)呢？没有肉我怎么做呀？"张老师说："糟糕，我买的肉没拿，交了钱我就走了。"他爱人说："那你就去找找吧。今天的菜好吃不好吃，就看你了！"

6 **语音练习** Phonetic drills

(1) 常用音节练习 Drill on the frequently used syllables

zai	zāizhòng	栽种	ni	nílóng	尼龙
	xiàzǎi	下载		nǐ hǎo	你好
	xiànzài	现在		yóunì	油腻

(2) 朗读会话 Read aloud the conversation

A：Nǐ de xīn zìxíngchē zhēn piàoliang.

B：Kěshì huài le.

A：Zhēn kěxī, néng xiū hǎo ma?

B：Bù zhīdào.

A：Xiūxiu ba, kàn zěnmeyàng.

B：Hǎo.

这张画儿真美

THIS PICTURE IS REALLY BEAUTIFUL

1 句子 Sentences

173 你 的 房间 布置 得 好极了。 Your room is beautifully decorated.
Nǐ de fángjiān bùzhì de hǎo jí le.

174 这 张 画儿 真 美! This picture is really beautiful!
Zhè zhāng huàr zhēn měi!

175 你 的 房间 又 干净 又 Your room is clean and beautiful.
Nǐ de fángjiān yòu gānjìng yòu

漂亮。
piàoliang.

176 今天 没有 人 来。 Nobody will come today.
Jīntiān méiyǒu rén lái.

177 你 的 衣服 更 漂亮! Your dress is even prettier!
Nǐ de yīfu gèng piàoliang!

178 这 件 衣服 不是 买的, This dress was not bought but
Zhè jiàn yīfu bú shì mǎi de, made by my mother.

是 我 妈妈 做 的。
shì wǒ māma zuò de.

179　你 妈妈 的 手 真 巧。
Nǐ mama de shǒu zhēn qiǎo.

Your mother is really skillful with her hands.

180　要是 你 喜欢, 就 给
Yàoshi nǐ xǐhuan, jiù gěi

If you like the dress, why won't you have one made for your girl friend.

你 女 朋友 做 一件。
nǐ nǚ péngyou zuò yí jiàn.

2　会话 Conversation

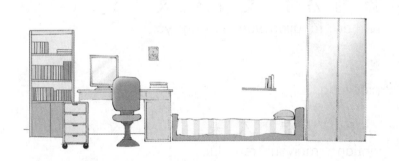

王兰：　你 的 房间 布置 得 好 极 了。
Wáng Lán : Nǐ de fángjiān bùzhì de hǎo jí le.

玛丽：　哪儿 啊, 马马虎虎。
Mǎlì : Nǎr a, mǎmǎ hūhū.

王兰：　桌子 放 在 这儿, 写字 看 书 都 很 好。
Wáng Lán : Zhuōzi fàng zài zhèr, xiě zì kàn shū dōu hěn hǎo.

玛丽： 你看，衣柜 放 在 床 旁边， 怎么样?
Mǎlì： Nǐ kàn, yīguì fàng zài chuáng pángbiān, zěnmeyàng?

王兰： 很 好。拿东西 很 方便。 这 张 画儿真 美!
Wáng Lán： Hěn hǎo. Ná dōngxi hěn fāngbiàn. Zhè zhāng huàr zhēn měi!

玛丽： 是 吗? 刚 买 的。
Mǎlì： Shì ma? Gāng mǎi de.

王兰： 你的 房间 又 干净 又 漂亮。 今天 谁 来 啊?
Wáng Lán： Nǐ de fángjiān yòu gānjìng yòu piàoliang. Jīntiān shuí lái a?

玛丽： 没有 人 来。新年 快 到 了。
Mǎlì： Méiyǒu rén lái. Xīnnián kuài dào le.

王兰： 啊! 明天 晚上 有 舞会。
Wáng Lán： À! Míngtiān wǎnshang yǒu wǔhuì.

玛丽： 真 的? 那 明天 晚上 我们 都去 跳舞 吧。
Mǎlì： Zhēn de? Nà míngtiān wǎnshang wǒmen dōu qù tiào wǔ ba.

2....

王兰： 你 今天 穿 得 真 漂亮!
Wáng Lán： Nǐ jīntiān chuán de zhēn piàoliang!

玛丽： 是 吗? 过 新年 了 嘛①。 你 的 衣服 更
Mǎlì： Shì ma? Guò xīnnián le ma. Nǐ de yīfu gèng

漂亮，在 哪儿买 的?
piàoliang, zài nǎr mǎi de?

王兰： 不 是 买 的，是 我 妈妈 做 的。
Wáng Lán : Bú shì mǎi de, shì wǒ māma zuò de.

玛丽： 你 妈妈 的 手 真 巧，衣服 的 样子 也 很 好。
Mǎlì : Nǐ māma de shǒu, zhēn qiǎo, yīfu de yàngzi yě hěn hǎo.

王兰： 我 也 觉得 不错。
Wáng Lán : Wǒ yě juéde búcuò.

刘京： 我 很 喜欢 这 个 颜色。
Liú Jīng : Wǒ hěn xǐhuan zhè ge yánsè.

玛丽： 要是 你 喜欢，就 给 你 女 朋友 做 一 件。
Mǎlì : Yàoshi nǐ xǐhuan, jiù gěi nǐ nǚ péngyou zuò yí jiàn.

刘京： 我 还 没有 女 朋友 呢。
Liú Jīng : Wǒ hái méiyǒu nǚ péngyou ne.

注释：Notes

① "过新年了嘛。"

语气助词"嘛"表示一种"道理显而易见"、"理应如此"的语气。

The modal particle "嘛" has the connotation of "for the obvious reason", "it goes without saying".

3 替换与扩展 Substitution and Extension

▶ **替换**

1.你的 房间又干净又漂亮。	英文书	容易	有意思
	纪念邮票	多	好看

2.这件 衣服不是买的，是我妈妈 做的。	个	菜	我自己	做
	张	画儿	朋友	画
	辆	自行车	我哥哥	借

3.我很喜欢这个 颜色。	个	孩子	些	花
	张	照片	辆	汽车
	支	铅笔	块	手表

扩展

1. 要是 明天 天气 好，我们 就去 公园
   Yàoshi míngtiān tiānqì   hǎo，wǒmen jiù qù gōngyuán

   看 花展。
   kàn huāzhǎn.

2. A：今天他们 两 个 怎么 穿 得 这么 漂亮?
   Jīntiān tāmen liǎng ge zěnme chuān de zhème piàoliang?

   B：结婚 嘛。
   Jié hūn ma.

4 生 词 New Words

1	布置	（动）	bùzhì	to decorate
2	画儿	（名）	huàr	painting, drawing
3	美	（形）	měi	beautiful, pretty
4	又	（副）	yòu	also
5	更	（副）	gèng	more, even more
6	手	（名）	shǒu	hand
7	要是	（连）	yàoshi	if
8	马虎	（形）	mǎhu	careless
9	桌子	（名）	zhuōzi	table
10	放	（动）	fàng	to put, to place

11	衣柜	（名）	yīguì	wardrobe
12	方便	（形）	fāngbiàn	convenient, easy
13	嘛	（助）	ma	(modal particle)
14	样子	（名）	yàngzi	shape, appearance
15	觉得	（动）	juéde	to feel, to think
16	颜色	（名）	yánsè	colour
17	容易	（形）	róngyì	easy
18	自己	（代）	zìjǐ	oneself
19	画	（动）	huà	to draw
20	些	（量）	xiē	some (measure word)
21	铅笔	（名）	qiānbǐ	pencil
22	这么	（代）	zhème	like this, such
23	手表	（名）	shǒubiǎo	watch

5

语 法 Grammar

1 "又……又……" The expression "又…又…"(both…and…)

表示两种情况或性质同时存在。例如

This structure expresses the co-existence of two circumstances or characteristics, e.g.

(1) 你的房间又干净又漂亮。

(2) 那儿的东西又便宜又好。

(3) 他得汉字写得又好又快。

2 "要是……就……" The expression "要是…就…"(if…then…)

"要是"表示假设，后一分句常用副词"就"来承接上文，得出结论。例如：

"要是" introduces a supposition, and the adverb "就", which links the clause that follows it to the one that precedes it, is often used to elicit a conclusion, e.g.

(1) 你要是有《英汉词典》就带来。

(2) 要是明天不上课，我们就去北海公园。

(3) 你要是有时间，就来我家玩儿。

6  练 习 Exercises

1 回答问题（用上所给的词语）Answer the questions (using the given words)

(1) 北海公园怎么样?（又……又……）

(2) 这个星期天你去公园玩儿吗?（要是……就……）

(3) 为什么你喜欢这件衣服?（喜欢 颜色）

(4) 这本词典是你买的吗?（不是……，是……）

2 完成句子（用上"很"、"真"、"极了"、"更"、"太……了"）Complete the sentences (using "很"，"真"，"极了"，"更" and "太…了")

(1) 这个句子_____，大家都会翻译。

(2) 她很会做中国菜，她做的鱼_____。

(3) 今天天气_____，听说明天天气_____。我们应该出去玩儿玩儿。

(4) 你这张照片_____，人很漂亮，那些花儿也很美。

3 用所给的词语完成句子 Complete the following sentences with the given words or expressions

(1) 那个商店的东西_____。（又……又……）

(2) 这种橘子＿＿＿＿＿＿＿＿。（又……又……）

(3) 要是我有钱，＿＿＿＿＿＿＿＿。（就）

(4) 要是明天天气不好，＿＿＿＿＿＿＿＿。（就）

④ **完成对话** Complete the conversations

(1) A：你看，这件毛衣怎么样？

B：＿＿＿＿＿＿＿＿＿＿＿＿，贵吗？

A：六十五块。

B：＿＿＿＿＿＿＿＿，还有吗？

A：怎么？你也想买吗？

B：是啊，＿＿＿＿＿＿＿＿＿＿＿。

(2) A：你的字写得真好！

B：＿＿＿＿＿＿＿＿，你写得好。

A：＿＿＿＿＿＿＿＿＿＿，我刚学。

⑤ **听述** Listen and retell

　　玛丽的毛衣是新疆（Xīnjiāng　an autonomous region）生产（shēngchǎn　to produce）的，样子好看，颜色也漂亮。大卫说，新疆的水果（shuǐguǒ　fruit）和饭菜也好吃极了。玛丽听了很高兴。她约大卫今年七月去新疆。在新疆可以玩儿，可以吃很多好吃的东西。大卫让玛丽别吃得太多，要是吃得太多，回来以后，就不能穿那件毛衣了。

⑥ **语音练习** Phonetic drills

(1) 常用音节练习 Drill on the frequently used syllables

	xiāoxi	消息		kēxué	科学
xiao	xiǎoháir	小孩儿	ke	kěyǐ	可以
	xiào le	笑了		kèqi	客气

（2）朗读会话 Read aloud the conversation

A：Zhè xiē huār shì mǎi de ma?

B：Bú shì mǎi de, shì wǒ zuò de.

A：Nǐ de shǒu zhēn qiǎo.

B：Nǎr a, wǒ gāng xué.

A：Shì gēn Hézǐ xué de ma?

B：Bú shì, shì gēn yí ge Zhōngguó tóngxué xué de.

一、会话 Conversation

❶

A：刚才小林来找你，你不在。

B：我去朋友那儿了，刚回来。他有事吗？

A：他让我告诉你，下星期六他结婚，请你去吃喜酒 (xǐjiǔ wedding feast)。

B：真的吗？那我一定去。我还没参加过中国人的婚礼 (hūnlǐ wedding ceremony) 呢。

A：下星期六我来找你，我们一起去。

B：好的。

❷

A：你怎么了？病 (bìng sick) 了吗？

B：是的。真遗憾，今天我不能去参加小林的婚礼了。

A：你就在宿舍休息吧，我一个人去。再见！

B：再见！

❸

A：可以进吗？

B：请进。

A：你看，谁来了？

B：啊，小林，对不起，那天我病了，没去参加你们的婚礼。

林：没关系。你的病好了吗？

B：好了。

林：今天我给你送喜糖 (xǐtáng wedding sweets) 来了。

B：谢谢你！听说你爱人很漂亮。

A：她还会唱歌跳舞呢。那天唱得好听极了。他们还表演 (biǎoyǎn to perform) 两个人吃一块糖。

林：你别听他的。

B：那是接吻 (jiē wěn to kiss)？

A：是的，中国人不在别人面前 (miànqián in front of) 接吻，这是结婚的时候，大家闹着玩儿 (nàozhe wánr do something for fun) 的。

二、语法 Grammar

1 语气助词"了"与动态助词"了"The modal particle "了" and the aspect particle "了"

❶ 语气助词"了"在句尾，强调某事或某情况已经发生；动态助词"了"在动词后，强调这个动作已完成或肯定要完成。例如：

The modal particle "了" is put at the end of a sentence to emphasize that a thing or a situation has already occurred, whereas the aspect particle "了" is put after the verb to emphasize that the action is completed or is sure to be completed, e.g.

(1) 昨天你去哪儿了？	(2) 你买了什么东西？
——我去友谊商店了。	——我买了一件毛衣。
(肯定这件事已发生	（"买"的动作已完成
The thing has already occurred)	The action is completed)

❷ 动词后有动态助词"了"，又有简单宾语时，宾语前一般要有数量词或其他定语，或者有比较复杂的状语，才能成句。例如：

If the verb is followed by the aspect particle "了" and a simple object, a numeral measure compound or some other attributive or a more complicated adverbial is normally used before the object to make the sentence grammatical, e.g.

(1) 我买了一件毛衣。	(2) 他做了很好吃的菜。
(3) 我很快地转告了她。	

❸ 不表示具体动作的动词 "是"、"在"、"像" 等和表示存在的 "有"，一般不用动态助词"了"。

Stative verbs such as "是"、"在" and "像" and the existential verb "有" do no tak the aspect particle "了".

❹ 不表示具体动作的动词谓语句，一般的动词谓语句否定式和形容词谓语句等等，句尾都可带"了"，表示变化。例如：

The sentence with a stative verbal predicate, the negative form of the sentence with a verbal predicand the sentence with an adjectival predicate may all end with "了" to express that things have changed, e.g.

(1) 现在是冬天（dōngtiān winter）了。天气冷了。
(2) 他现在不是学生，是老师了。
(3) 我不去玛丽那儿了。

三、练习 Exercises

1 按照实际情况回答问题 Answer the questions according to actual situations

(1) 现在你正在做什么？昨天这个时候你在做什么？

(2) 到中国以后，你都去哪儿了？买了什么？

(3) 你说汉语说得怎么样？汉字会写不会写？

(4) 你有没有觉得遗憾的事？请说一说。

2 会话 Conversational practice

(1) 称赞 Praise：(衣服　吃的　房间)

多好(漂亮 美 好看)啊！	哪儿啊！
真好吃(干净……)！	马马虎虎！
……极了！	是吗？
又……又……	

(2) 道歉 Apology：(来晚了　弄坏了东西　弄脏了东西)

对不起	没关系
请原谅	没什么
真抱歉	

(3) 遗憾 Regret：(好的地方没去　喜欢的东西没买到)

太可惜了　　真不巧　　真遗憾

3 完成对话 Complete the conversations

(1) A：喂，玛丽吗？今天我请你吃晚饭。

B：真的吗？＿＿＿＿＿＿＿＿＿＿＿＿？

A：北京饭店。＿＿＿＿＿＿＿＿＿＿＿。

B：不用接我，七点我自己去。

(2) A：昨天的话剧好极了，你怎么没去看啊？

B：＿＿＿＿＿。＿＿＿＿＿！这个星期还演吗？

A：可能还演，你可以打电话问问。

④ 语音练习 Phonetic drills

（1）声调练习：第二声+第四声 Drill on tones：2nd tone+4th

yíhàn	遗憾
bú yào yíhàn	不要遗憾
yídìng bú yào yíhàn	一定不要遗憾

（2）朗读会话 Read aloud the conversation

A: Zhè jiàn mǎoyī zhēn piàoliang, wǒ hěn xǐhuan zhè ge yánsè.

B: Kěxī yǒudiǎnr duǎn.

A: Nǐ bāng wǒ kànkan, yǒu cháng diǎnr de ma?

B: Méiyǒu.

A: Zhēn yíhàn.

四、阅读短文 Reading Passage

　　我昨天晚上到北京。今天早上我对姐姐说，我出去玩儿玩儿。姐姐说："你很累了，昨天晚上也没睡好觉，你今天在家休息，明天我带你去玩儿。"我在家觉得没意思，姐姐出去买东西的时候，我就一个人坐车出去了。

　　北京这个地方很大，我第一次来，也不认识路。汽车开到一个公园前边，我就下了车，进了那个公园。

　　公园的花儿开得漂亮极了。玩了一会儿我觉得累了，就坐在长椅（chángyǐ　bench）上休息。

　　"喂，要关门（guān mén　to close the door）了，快回去吧！" 一个公园里的人叫我。哎呀，刚才我睡着（shuì zháo　to fall asleep）了。现在已经很晚了，我想姐姐一定在找我呢。得（děi　have to）快回家了。

祝贺你
CONGRATULATIONS

1

句子　Sentences

181 这 次 考试，成绩 还 可以。
Zhè cì kǎoshì, chéngjì hái kěyǐ.

The result of this examination is quite good.

182 他 的 成绩 全 班 第一。
Tā de chéngjì quán bān dì-yī.

He came out first in the exam for the whole class.

183 考 得 真 好， 祝贺 你!
Kǎo de zhēn hǎo, zhùhè nǐ!

Congratulate you on the success in the exam.

184 祝 你 生日 快乐!
Zhù nǐ shēngri kuàilè!

Happy birthday to you!

185 祝 你 身体 健康!
Zhù nǐ shēntǐ jiànkāng!

I wish you good health.

186 尼娜 有 事 来 不 了。
Nínà yǒu shì lái bu liǎo.

Nina will not be able to come because she is engaged.

187 你 打开 盒子 看看。
Nǐ dǎkāi hézi kànkan.

Please open the box and have a look.

188 我 送 你 一 件 礼物，请 收下。
Wǒ sòng nǐ yí jiàn lǐwù, qǐng shōu xià.

I give you a gift. Please accept it.

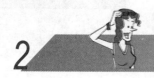

2 会话 Conversation

刘京: **这 次 考试 成绩 怎么样？**
Liú Jīng: Zhè cì kǎoshì chéngjì zěnmeyàng?

大卫: **还可以。笔试九十分，口试 八十五 分。**
Dàwèi: Hái kěyǐ. Bǐshì jiǔshí fēn, kǒushì bāshíwǔ fēn.

玛丽: **你知道 吗？他 的 成绩 全 班 第一。**
Mǎlì: Nǐ zhīdào ma? Tā de chéngjì quán bān dì-yī.

刘京: **考 得真 好， 祝贺 你!**
Liú Jīng: Kǎo de zhēn hǎo, zhùhè nǐ!

大卫: **玛丽 也 考 得 不错。**
Dàwèi: Mǎlì yě kǎo de búcuò.

玛丽: **这要 感谢 刘京 和 王 兰 的 帮助。**
Mǎlì: Zhè yào gǎnxiè Liú Jīng hé Wáng Lán de bāngzhù.

2 ....

玛丽 王　兰，祝 你 生日　快乐！
Mǎlì Wáng Lán, zhù nǐ shēngri kuàilè!

刘京： 我们　送 你 一个 生日　蛋糕。祝 你 身体　健康！
Liú Jīng： Wǒmen sòng nǐ yí ge shēngri dàngāo. Zhù nǐ shēntǐ jiànkāng!

王兰： 谢谢！
Wáng Lán： Xièxie!

大卫： 这 是 我 给 你 的 花儿。
Dàwèi： Zhè shì wǒ gěi nǐ de huār.

王兰： 这 些 花儿 真　漂亮。
Wáng Lán： Zhè xiē huār zhēn piàoliang.

大卫： 尼娜 有 事 来 不 了，她 祝 你 生日　愉快。
Dàwèi： Nínà yǒu shì lái bu liǎo, tā zhù nǐ shēngri yúkuài.

王兰： 谢谢，大家 请　坐。
Wáng Lán： Xièxie, dàjiā qǐng zuò.

和子： 我 送 你 一件 礼物，请 收 下。
Hézǐ： Wǒ sòng nǐ yí jiàn lǐwù, qǐng shōu xià.

刘京： 你 知道 她 送 的 什么 吗?
Liú Jīng: Nǐ zhīdào tā sòng de shénme ma?

王兰： 不 知道。
Wáng Lán: Bù zhīdào.

和子： 你 打开 盒子 看看。
Hézǐ: Nǐ dǎ kāi hézi kànkan.

王兰： 啊，是 一 只 小 狗。
Wáng Lán: À, shì yì zhī xiǎo gǒu.

刘京： 这 个 小 东西 多 可爱 啊!①
Liú Jīng: Zhè ge xiǎo dōngxi duō kě'ài a!

注释： Notes

① "这个小东西多可爱啊！"

"小东西" 这里指的是玩具 "小狗"。有时 "小东西" 也可指人或动物，并含有喜爱的感情。

"小东西" here refers to a toy puppy, sometimes it may refer to a person or an animal with affection.

3 替换与扩展 Substitution and Extension

替换

1. 祝你<u>生日快乐</u>!

生日愉快	身体健康
生活幸福	工作顺利

2.你打开<u>盒子</u> <u>看看</u>。

| 衣柜 | 找 | 窗户 | 看 |
| 随身听 | 听 | 门 | 看 |

3.这个<u>小东西</u>多<u>可爱</u>啊!

| 公园 | 美 | 问题 | 难 |
| 鱼 | 好吃 | 地方 | 好玩儿 |

扩展

1.下 个 月 玛丽 的 姐姐 结 婚。玛丽 写 信
Xià ge yuè Mǎlì de jiějie jié hūn, Mǎlì xiě xìn

祝贺 他们。
zhùhè tāmen.

2.祝 你们 生活 幸福, 新婚 愉快!
Zhù nǐmen shēnghuó xìngfú, xīnhūn yúkuài!

4 生 词 New Words

1	成绩	(名)	chéngjì	result, achievement
2	全	(形、副)	quán	all, every
3	班	(名)	bān	class
4	考	(动)	kǎo	to give (or to take) an examination
5	祝贺	(动)	zhùhè	to congratulate
6	祝	(动)	zhù	to congratulate

7	快乐	（形）	kuàilè	happy
8	了	（动）	liǎo	(used in conjunction with 得 dé and 不 bù after a verb to express possibility)
9	打开		dǎ kāi	to open
10	盒子	（名）	hézi	box
11	笔试	（名）	bǐshì	written exam
12	分	（名）	fēn	credit points, marks
13	口试	（名）	kǒushì	oral exam
14	蛋糕	（名）	dàngāo	cake
15	只	（量）	zhī	(measure word)
16	狗	（名）	gǒu	dog
17	可爱	（形）	kě'ài	lovely
18	幸福	（形、名）	xìngfú	happy; happiness
19	门	（名）	mén	door, gate
20	问题	（名）	wèntí	problem, question
21	难	（形）	nán	difficult, hard
22	新婚	（名）	xīnhūn	newly-wed

5　语　法 Grammar

1 "开"、"下"作结果补语　"开" and "下" as complements of result

1 动词"开"作结果补语 The verb "开" as a complement of result

① 表示通过动作使合拢、连接的东西分开。例如：

To cause something folded or fastened to become open through an activity, e.g.

(1) 她打开衣柜拿了一件衣服。 (2) 请打开书，看第十五页(yè page)。

② 表示通过动作，使人或物离开某处。例如：

To get a person or a thing away from its original place, e.g.

(3) 车来了，快走开！　　　(4) 快拿开桌子上的东西。

❷ 动词"下"作结果补语 The verb "下" as a complement of result

① 表示人或事物随动作从高处到低处。例如：

To indicate a downward movement, e.g.

(5) 你坐下吧。　　　　　　(6) 他放下书，就去吃饭了。

② 使某人或某物固定在某处。例如：

To make somebody or something stay in place, e.g.

(7) 写下你的电话号码。　　　(8) 请收下这个礼物吧。

2　可能补语(1) The potential complement (1)

在动词和结果补语之间加上结构助词"得"，就构成了表示可能的可能补语。如"修得好"、"打得开"，就是"能修好"、"能打开"的意思。

它的否定式是将中间的"得"换成"不"。如"修不好"、"打不开"等等。

A potential complement is usually formed by inserting the structural particle "得" between the verb and the complement of result, e.g. "修得好", "打得开" which mean "能修好" and "能打开" respectively.

Its negative form is realized by the replacement of "得" with "不", e.g. "修不好", "打不开", and so on.

3　动词"了"作可能补语 The verb "了" as a potential complement

❶ 动词"了"表示"完毕"、"结束" 或 "可能"的意思。常用在动词后，构成可能补语，表示对行为实现的可能性作出估计。例如：

The verb "了", means "to finish", " to complete". It is often put after the verb to form a potential complement. Such a construction makes assessment of the possible execution of an action, e.g.

(1) 明天你去得了公园吗? 　　(2) 他病了，今天来不了了。

❷ 有时作可能补语仍旧表示"完毕"的意思。例如：

Though used as a potential complement, sometimes it still means "completion", e.g.

(3) 这么多菜，我一个人吃不了。 (4) 作这点儿练习，用不了半个小时。

6　练　习 Exercises

1 熟读下列词语并选择造句 Read until fluent the following words／phrases and make sentences with some of them

全班	生活幸福	买礼物	来得了
全家	全家幸福	送礼物	来不了
全校	幸福的生活	生日礼物	吃得了
全国	幸福的孩子	结婚礼物	吃不了

2 用"多……啊"完成句子 Complete the sentences with" 多…啊"

(1) 这件衣服的颜色_____，孩子们穿最好看。

(2) 上课的时候，我去晚了，你知道我_____！

(3) 你没去过长城? 那_____！

(4) 你爸爸、妈妈都很健康，你们全家_____！

(5) 你新买的自行车坏了，_____！

3 完成对话(用上祝愿、祝贺的话) Complete the conversations (using words expressing good wishes and congratulations)

(1) A：听说你的两张画儿参加了画展，_____。

　　B：谢谢!欢迎参观。

(2) A：明天要考试了。

　　B：_____。

(3) A：我妈妈来了，我陪她去玩儿玩儿。

　　B：_____!

4 **用结果补语或可能补语完成句子** Completle the following setences with the result complements or the potential complement

(1) 房间里太热了，请_____。
(2) 这是他给你的礼物，请_____。
(3) 我的手表坏了，_____？
(4) 这么多菜，我们_____。
(5) 这件衣服真脏，_____？
(6) 明天的会你_____？

5 **会话** Conversational practice

(1) 你朋友考试的成绩很好，你向他祝贺。
Your friend got a good mark in exam, and you would congratulate him/her.
(2) 你的朋友结婚，你去祝贺他。
Your friend got married, and you went to congratulate him/her.

6 **听述** Listen and retell

    上星期英语系的同学用英语唱歌，演话剧（huàjù drama）。王兰、刘京都参加了。那些同学的英语说得真好，歌唱得更好。以后我们要是能用汉语演话剧就好了。
    刘京他们班演的话剧是全系第一，王兰唱歌是第三，我们高兴极了，都去祝贺他们。

7 **语音练习** Phonetic drills

(1) 常用音节练习 Drill on the frequently used syllables

yao	yāoqǐng	邀请		wu	wūzi	屋子
	yáobǎi	摇摆			tiào wǔ	跳舞
	yàoshi	钥匙			fúwùyuán	服务员

（2）朗读会话 Read aloud the conversation

A: Xīnnián hǎo!

B: Xīnnián hǎo! Zhù nǐ xīnnián kuàilè!

A: Zhù nǐmen quán jiā xìngfú!

B: Zhù nǐmen shēntǐ jiànkāng, shēnghuó yúkuài!

A: Xièxie!

你别抽烟了
PLEASE DON'T SMOKE

1　　　　　　　　　　句子　Sentences

189　我 有点儿 咳嗽。　　　　I have a cough.
　　　Wǒ yǒudiǎnr késou.

190　你 别 抽 烟 了。　　　　Please don't smoke.
　　　Nǐ bié chōu yān le.

191　抽 烟 对 身体 不 好。　　Smoking is not good for your health.
　　　Chōu yān duì shēntǐ bù hǎo.

192　你 去医院 看看 吧。　　　You'd better go to a hospital.
　　　Nǐ qù yīyuàn kànkan ba.

193　你 开车 开 得 太 快 了。　You drive too fast.
　　　Nǐ kāi chē kāi de tài kuài le.

194　开 快 了 容易 出 事故。　You may have an accident if you
　　　Kāi kuài le róngyì chū shìgù.　drive fast.

195　昨天 清华 大学 前边 出　There was a traffic accident in front
　　　Zuótiān Qīnghuá Dàxué qiánbiān chū　of Tsinghua University yesterday.

　　　交通 事故 了。
　　　jiāotōng shìgù le.

196 你 得 注意 安全 啊!
Nǐ děi zhùyì ānquán a!

You must be careful about your own safety.

2　会话 Conversation

李红：　　老 张①，你 怎么 了?
Lǐ Hóng:　Lǎo Zhāng, nǐ zěnme le?

老张：　　没 什么，有点儿 咳嗽。
Lǎo Zhāng:　Méi shénme, yǒudiǎnr késou.

李红：　　你 别 抽 烟 了。
Lǐ Hóng:　Nǐ bié chōu yān le.

老张：　　我 每天 抽 得 不 多。
Lǎo Zhāng:　Wǒ měitiān chōu de bù duō.

李红：　　那 对 身体 也 不 好。
Lǐ Hóng:　Nà duì shēntǐ yě bù hǎo.

老张：　　我 想 不 抽，可是 觉得 不 舒服。
Lǎo Zhāng:　Wǒ xiǎng bù chōu, kěshì juéde bù shūfu.

李红：　　时间 长 了 就 习惯 了。
Lǐ Hóng:　Shíjiān chángle jiù xíguàn le.

老张：　　好，我 试试。今天 先 吃 点儿 药。
Lǎo Zhāng:　Hǎo, wǒ shìshi. Jīntiān xiān chī diǎnr yào.

李红：　你 去 医院 看看 吧。
Lǐ Hóng：　Nǐ qù yīyuàn kànkan ba.

2......

王兰：　你 开 车 开 得 太 快 了。这样 不 安全。
Wáng Lán：　Nǐ kāi chē kāi de tài kuài le. Zhèyàng bù ānquán.

大卫：　我 有 事，得 快 点儿 去。
Dàwèi：　Wǒ yǒu shì, děi kuài diǎnr qù.

王兰：　那 也 不 能 开 得 这么 快。
Wáng Lán：　Nà yě bù néng kāi de zhème kuài.

大卫：　没 关系。我 开 车 的 技术 好。
Dàwèi：　Méi guānxi. Wǒ kāi chē de jìshù hǎo.

王兰：　开 快 了 容易 出 事故。昨天 清华 大学
Wáng Lán：　Kāi kuài le róngyì chū shìgù. Zuótiān Qīnghuá Dàxué

前边 出 交通 事故 了。
qiánbiān chū jiāotōng shìgù le.

大卫：　真 的 吗?
Dàwèi：　Zhēn de ma?

王兰：　你 得 注意 安全 啊!
Wáng Lán：　Nǐ děi zhùyì ānquán a!

大卫：　好，我 以后 不 开
Dàwèi：　Hǎo, wǒ yǐhòu bù kāi

快 车 了。
kuài chē le.

注释：Notes

① "老张"

对四五十岁的同事，朋友，邻居等，在姓氏前面加"老"用作称呼，其语气比直呼姓名亲切，对女性不常用。

It sounds more affectionate to address a colleague, friend or neighbour in his forties or fifties by adding "老" before his name. "老" is not often used for women.

3 替换与扩展 Substitution and Extension

替换

1. 你别抽烟了。

| 去那儿 | 喝酒 |
| 开快车 | 迟到 |

2. 你开车开得太快了。

| 写字 | 慢 | 睡觉 | 晚 |
| 起床 | 早 | 说汉语 | 快 |

扩展

1. 我 头 疼、 咳嗽， 可能 感冒 了。 一会儿 我 去
   Wǒ tóu téng、 késou, kěnéng gǎnmào le. Yíhuìr wǒ qù

   医院 看 病。
   yīyuàn kàn bìng.

2. 每 个 人 都 要 注意 交通 安全。
   Měi ge rén dōu yào zhùyì jiāotōng ānquán.

3. 小孩子 不 要 在 马路 上 玩儿。
   Xiǎoháizi bú yào zài mǎlù shang wánr.

4

生 词 New Words

1	有点儿	（副）	yǒudiǎnr	a little, slightly
2	咳嗽	（动）	késou	to cough
3	抽	（动）	chōu	to smoke
4	烟	（名）	yān	cigarette
5	医院	（名）	yīyuàn	hospital
6	事故	（名）	shìgù	accident
7	交通	（名）	jiāotōng	traffic
8	得	（能愿）	děi	must, have to
9	注意	（动）	zhùyì	to be careful
10	安全	（形）	ānquán	safe
11	舒服	（形）	shūfu	comfortable
12	习惯	（动、名）	xíguàn	used to; habit
13	药	（名）	yào	medicine
14	这样	（代）	zhèyàng	in this way, like this
15	技术	（名）	jìshù	technique
16	迟到	（动）	chídào	to arrive late
17	头	（名）	tóu	head
18	疼	（形）	téng	painful, aching
19	感冒	（动、名）	gǎnmào	to catch (a) cold; cold
20	病	（名、动）	bìng	illness; to be sick

21 每	(代)	měi	every
22 马路	(名)	mǎlù	street, road

5 语 法 Grammar

1 "有点儿" 作状语 "有点儿" as an adverbial adjunct

"有点儿" 在动词或形容词前作状语，表示程度轻微，并带有不如意的意思。例如：

When used as an adverbial adjunct before a verb or an adjective, "有点儿" denotes "a slight degree" and carries a touch of dissatisfaction, e.g.

(1) 这件事有点儿麻烦。

(2) 今天有点儿热。

(3) 他有点儿不高兴。

2 存现句 The sentence expressing existence, appearance or disappearance

表示人或事物在某处存在、出现或消失的动词谓语句叫做存现句。例如：

A sentence with a verbal predicate which describes the existence, appearance or disappearance of a person or thing is called the sentence expressing existence, e.g.

(1) 桌子上有一本汉英词典。

(2) 前边走来一个外国人。

(3) 上星期走了一个美国学生。

6 练 习 Exercises

1 用"有点儿"、"（一）点儿"填空 Fill in the blanks with "有点儿" or "（一）点儿"

(1) 这件衣服_____长，请换一件短_____的。

(2) 刚来中国的时候，我生活_____不习惯，现在习惯_____了。

(3) 现在这么忙，你应该注意_____身体。

(4) 你病了，得去医院看看，吃_____药。

(5) 他刚才喝了_____酒，头_____疼，现在已经好_____了。

2 完成对话 Complete the conversations

(1) A：我想骑车去北海公园。

　　B：路太远，_____。

　　A：_____，我不累。

　　B：路上车多人多，要_____。

　　A：谢谢。

(2) A：我们唱唱歌吧。

　　B：_____，现在十一点了，大家都要休息了。

　　A：好，_____ 。

3 会话（用上表示劝告的话） Conversations (using persuasive remarks)

(1) 有个人在公共汽车上抽烟，售票员和抽烟的人对话。

　　Between a conductor and a passenger who is smoking in the bus.

(2) 有一个参观的人要照相，可是这里不允许照相。你告诉他并劝阻他不要照相。

　　A visitor wants to take photos. You tell him that taking photos is forbidden here.

(3) 有一个人骑车，车后还带了一个人，这在中国是不许可的。警察和骑车的人对话。

　　Between a policeman and a bike rider who takes a person at the back of his bike (which is not permitted in China).

4 把下列句子改成存现句 Change the following sentences into sentences expressing existence，appearance or disappearance

例：有两个人往这边走来了。→ 前边来了两个人。

(1) 有两个新同学到我们班来了。

(2) 一支铅笔、一个本子放在桌子上。

(3) 两个中国朋友到我们宿舍来了。

(4) 一辆汽车从那边开来了。

5 听述 Listen and retell

　　昨天是刘京的生日，我们去他家给他祝贺。他妈妈做的菜很好吃。我们喝酒、吃饭、唱歌、跳舞，高兴极了。大家劝（quàn　to persuade）大卫别喝酒。为什么呢？他是骑摩托车（mótuōchē　motorbike）去的。他要是喝酒，就太不安全了。

6 语音练习 Phonetic drills

(1) 常用音节练习 Drill on the frequently used syllables

	yì tiáo yú	一条鱼		jiē diànhuà	接电话
yu	Hànyǔ	汉语	jie	jié hūn	结婚
	yù jiàn	遇见		jiějie	姐姐
				jiè shū	借书

(2) 朗读会话 Read aloud the conversation

A: Bié jìn qu le.

B: Wèishénme?

A: Tā yǒudiǎnr bù shūfu, shuì jiào le.

B: Nǐ zhīdào tā shì shénme bìng ma?

A: Gǎnmào.

B: Chī yào le ma?

A: Gāng chīguo.

28

今天比昨天冷

IT IS COLDER TODAY THAN IT WAS YESTERDAY

1

句子 Sentences

197 今天 比 昨天 冷。
Jīntiān bǐ zuótiān lěng.

It's colder today than it was yesterday.

198 这儿 比 东京 冷 多 了。
Zhèr bǐ Dōngjīng lěng duō le.

It's much colder here than in Tokyo.

199 有 时候 下 雨。
Yǒushíhou xià yǔ.

It rains sometimes.

200 天气 预报 说，明天 有
Tiānqì yùbào shuō, míngtiān yǒu

大 风。
dà fēng.

The weather forecast says that there will be strong winds tomorrow.

201 明天 比 今天 还 冷 呢。
Míngtiān bǐ jīntiān hán lěng ne.

Tomorrow will be even colder than it is today.

202 你 要 多 穿 衣服。
Nǐ yào duō chuān yīfu.

You should put on more clothes.

203 那儿 的 天气 跟 这儿 一样 吗?
Nàr de tiānqì gēn zhèr yíyàng ma?

Is the weather there the same as it is here?

204　气温　在　零下　二十　多　度。　The temperature is over 20
Qìwēn zài　líng xià　èrshí　duō　dù.　degrees below zero.

2 会话　Conversation

刘京：　今天　天气　真　冷。
Liú Jīng：　Jīntiān tiānqì　zhēn lěng.

和子：　是　啊。　今天　比　昨天　冷。
Hézǐ：　Shì　a.　Jīntiān bǐ zuótiān lěng.

刘京：　这儿　的　天气　你　习惯　了　吗?
Liú Jīng：　Zhèr　de　tiānqì　nǐ　xíguàn le　ma?

和子：　还　不　太　习惯　呢。这儿　比　东京　冷　多　了。
Hézǐ：　Hái　bú　tài　xíguàn　ne.　Zhèr　bǐ　Dōngjīng lěng duō le.

刘京：　你们　那儿　冬天　不　太　冷　吗?
Liú Jīng：　Nǐmen　nàr　dōngtiān bú　tài　lěng　ma?

和子：　是　的。
Hézǐ：　Shì de.

刘京：　东京　下雪　吗？
Liú Jīng：　Dōngjīng xià xuě ma?

和子：　很少下雪。有时候　下雨。
Hézǐ：　Hěn shǎo xià xuě. Yǒushíhou xià yǔ.

刘京：　天气预报说，明天　有大风，比今天还冷
Liú Jīng：　Tiānqì yùbào shuō, míngtiān yǒu dà fēng, bǐ jīntiān hái lěng

呢。
ne.

和子：　是吗？
Hézǐ：　Shì ma?

刘京：　你要多穿　衣服，别感冒了。
Liú Jīng：　Nǐ yào duō chuān yīfu, bié gǎnmào le.

2......

玛丽：　张老师，北京的夏天热吗？
Mǎlì：　Zhāng lǎoshī, Běijīng de xiàtiān rè ma?

张老师：　不太热。你们那儿跟这儿一样吗？
Zhāng lǎoshī：　Bú tài rè. Nǐmen nàr gēn zhèr yíyàng ma?

玛丽：　不一样，夏天不热，冬天　很冷。
Mǎlì：　Bù yíyàng, xiàtiān bú rè, dōngtiān hěn lěng.

张老师：　有多冷？
Zhāng lǎoshī：　Yǒu duō lěng?

玛丽：　零下二十多度。
Mǎlì：　Líng xià èrshí duō dù.

张老师：　真冷啊！
Zhāng lǎoshī：　Zhēn lěng a!

玛丽：　可是，我 喜欢 冬天。
Mǎlì：　Kěshì，　wǒ xǐhuan dōngtiān.

张老师：　为什么？
Zhāng lǎoshī：　Wèishénme?

玛丽：　可以 滑 冰，滑雪。
Mǎlì：　Kěyǐ　huá bīng，huá xuě.

3 替换与扩展 Substitution and Extension

▶ **替换**

1.今天比昨天冷。	这儿	那儿	暖和
	这本书	那本书	旧
	他	我	瘦

2.这儿比东京冷多了。	这儿	那儿	凉快
	这个练习	那个练习	难
	这条路	那条路	远
	这个歌	那个歌	好听

3.明天比今天还冷呢。	那儿的东西	这儿	贵
	那个颜色	这个	好看
	那个孩子	这个	胖

扩展

1. 欢迎　你 秋天 来 北京。那时候 天气 最好，
　 Huānyíng nǐ qiūtiān lái Běijīng. Nàshíhou tiānqì zuì hǎo,

不 冷 也 不 热。
bù lěng yě bú rè.

2. 北京 的 春天　常常　　刮风，不 常 下雨。
　 Běijīng de chūntiān chángcháng guā fēng, bù cháng xià yǔ.

4

生 词 New Words

1	比	(介、动)	bǐ	than; to compare
2	气温	(名)	qìwēn	temperature
3	高	(形)	gāo	high
4	度	(量)	dù	degree
5	有时候		yǒushíhou	sometimes
6	下	(动)	xià	to rain, to fall
7	雨	(名)	yǔ	rain
8	预报	(动)	yùbào	to forecast
9	冬天	(名)	dōngtiān	winter
10	雪	(名)	xuě	snow
11	夏天	(名)	xiàtiān	summer
12	滑(冰)	(动)	huá(bīng)	to skate

13	冰	(名)	bīng	ice
14	暖和	(形)	nuǎnhuo	warm
15	旧	(形)	jiù	old
16	瘦	(形)	shòu	thin
17	凉快	(形)	liángkuai	cool
18	练习	(动、名)	liànxí	exercise; to do exercises
19	胖	(形)	pàng	fat
20	秋天	(名)	qiūtiān	autumn
21	春天	(名)	chūntiān	spring
22	刮	(动)	guā	to blow

5　语　法 Grammar

1 用 "比" 表示比较　The use of "比" for comparison

❶ 介词 "比" 可以比较两个事物的性质、特点等。例如：

The preposition "比" may be used to compare the qualities, characteristics etc. of two things, e.g.

(1) 他比我忙。

(2) 他二十岁，我十九岁，他比我大。

(3) 今天比昨天暖和。

(4) 他唱歌唱得比我好。

❷ 用 "比" 的句子里不能再用 "很"、"非常"、"太" 等程度副词。比如不能说 "他比我很大"、"今天比昨天非常暖和" 等等。

Adverbs of degree such as "很", "非常" and "太" cannot be used in a sentence in which "比" is used for comparison. For example, it is not possible to say "他比我很大"、"今天比昨天非常暖和" and so on.

2 数量补语 The complement of quantity

❶ 在用"比"表示比较的形容词谓语中，如果要表示两个事物的具体差别，就在谓语后边加上数量词作补语。例如：

If one wants to show some specific differences between two things, he can add a numeral and a measure word at the end of the adjectival predicate in which "比" is used for comparison, e.g.

(1) 他比我大两岁。

(2) 他家比我家多两口人。

❷ 要表示大略的差别程度，可以用"一点儿"、"一些"、"多了"或用"得"加程度补语"多"。例如：

If one wants to give an approximation, he can use "一点儿" or "一些" to state slight differences and "得多" to denote big differences, e.g.

(3) 他比我大一点儿(一些)。

(4) 那儿比这儿冷多了。

(5) 这个教室比那个教室大得多。

(6) 他跳舞跳得比我好得多。

3 用"多"表示概数 "多" indicating an approximate number

"多"用在数量词或数词后，表示比前面的数目略多。

"多" used after a numerals-classifier compound or numeral to indicate a number slightly more than the given number.

❶ 以"1~9"结尾的数词及数词"10"，"多"在数量词后表示"不足1"的概数，例如：

"多" added to the numerals ending with "1~9" or the numeral "10" to indicate the approximate numbers less than "1", e.g.

两岁多（"多"不足一岁）　　　56块多（"多"不足一块钱）

378米多长（"多"不足一米）　　10个多月（"多"不足1个月）

❷ 数词是以"0"结尾的，"多"在数词后，量词前时，"多"表示略大于前面数的概数（"多"表示1以上，10，100……以下，不够进位的整数）。例如：

"多" used after the numerals ending with "0" and before measure words to indicate an approximate number slightly more than the given number. ("多" indicates an integer more than 1 but less than 10,100..., which cannot be carried to the tens', hundreds' or thousands' place.), e.g.

20多岁（"多"不足10岁）	400多块钱（"多"不足100块钱）
580多人（"多"不足10人）	10多斤重（"多"不足10斤）

6  练 习 Exercises

1 熟读下列词语并选择造句 Read until fluent the following words/phrases and make sentences with some of them

上楼	上飞机	上课	楼上	桌子上	上星期
下楼	下飞机	下课	楼下	床下	下星期

2 给词语选择适当的位置 Insert the given words into the following sentences at the suitable places

(1) 今天很冷，你要A穿B衣服。（多）

(2) 你A喝B点儿酒吧。（少）

(3) 以后我们A联系B吧。（多）

(4) 老师问你呢，你A回答B！（快）

3 用"比"改写句子 Rewrite the sentences with "比"

例：我有五本书，他有二十本书。→ 他的书比我多。或：我的书比他少。

(1) 我二十四岁，他二十岁。

(2) 昨天气温27度，今天25度。

(3) 他的毛衣很好看，我的毛衣不好看。

(4) 小王常常感冒，小刘很少有病。

4 完成对话 Complete the conversation

A：你怎么又感冒了？

B：这儿的春天_____。（比 冷）

A：_____？

B：二十多度。

A：_____。（比 暖和）

B：这儿早上和晚上冷，中午暖和，_____。

A：时间长了，你就习惯了。

5 回答问题 Answer the questions

(1) 今天三十四度，昨天三十度，今天比昨天高几度？

(2) 张丽英家有五口人，王兰家只有三口人，张丽英家比王兰家多几口人？

(3) 刘京二十三岁，王兰二十二岁，刘京比王兰大多了还是大一点儿？

(4) 这个楼有四层，那个楼有十六层，那个楼比这个楼高多少层？

6 听述 Listen and retell

　　人们都说春天好，春天是一年的开始（kāishǐ to begin）。要是有一个好的开始，这一年就会很顺利。一天也是一样，早上是一天的开始。要是从早上就注意怎么样生活、学习、工作，这一天就会过得很好。

　　让我们都爱（ài to love）春天、爱时间吧，要是不注意，以后会觉得遗憾的。

7 语音练习 Phonetic drills

(1) 常用音节练习 Drill on the frequently used syllables

	jīntiān	今天		chānfú	搀扶
jin	bú yàojǐn	不要紧	chan	yǎn chán	眼馋
	qǐng jìn	请进		shēngchǎn	生产

(2) 朗读会话 Read aloud the conversation

A: Jīnnián dōngtiān bù lěng.

B: Shì bǐ qùnián nuǎnhuo.

A: Dōngtiān tài nuǎnhuo bù hǎo.

B: Zěnme?

A: Róngyì yǒu bìng.

我也喜欢游泳
I ALSO LIKE SWIMMING

1　　　　　　　　　句子　Sentences

205 你 喜欢　什么　运动？
Nǐ　xǐhuan shénme　yùndòng?

What kind of sports do you like?

206 爬 山、 滑 冰、 游 泳， 我
Pá shān、 huá bīng、 yóu yǒng， wǒ

Mountaineering, skating and swimming are all my favourite sports.

都 喜欢。
dōu xǐhuan.

207 你 游泳 游 得 好 不 好？
Nǐ　yóu yǒng yóu　de　hǎo　bu　hǎo?

Do you swim well?

208 我 游 得 不 好， 没有 你 游
Wǒ　yóu　de　bù　hǎo，méiyǒu nǐ　yóu

I can't swim well. I can't swim as good as you can.

得 好。
de　hǎo.

209 谁　跟 谁　比赛？
Shuí　gēn shuí　bǐsài?

Which teams are playing?

210 北京 队 对 广东　队。
Běijīng duì duì Guǎngdōng duì.

The Beijing Team plays against the Guangdong Team.

211 我 在 写　毛笔字，没　画 画儿。　I am not drawing, but writing
Wǒ zài xiě　máobǐ zì，méi huà　huàr.　with a writing brush.

212 我　想　休息 一会儿。　I want to have a rest.
Wǒ　xiǎng　xiūxi　yíhuìr.

2 　会话　Conversation

1 . . . . .

刘京：　你 喜欢　什么　运动？
Liú Jīng：　Nǐ　xǐhuan　shénme　yùndòng？

大卫：　爬山、　滑冰、　游 泳，我　都　喜欢，你 呢？
Dàwèi：　Pá shān、huá bīng、yóu yǒng，wǒ　dōu　xǐhuan，nǐ　ne？

刘京：　我 常常　　打 篮球、打 排球，也喜欢 游泳。
Liú Jīng：　Wǒ chángcháng dǎ lánqiú、dǎ páiqiú，yě xǐhuan yóu yǒng.

大卫：　你 游得　好 不　好？
Dàwèi：　Nǐ　yóu de　hǎo bu　hǎo？

刘京：　我 游 得不 好，没有 你 游 得 好。明天　有
Liú Jīng：　Wǒ yóu de bù hǎo，méiyǒu nǐ yóu de hǎo. Míngtiān yǒu

排球　比赛，你 看 吗？
páiqiú　bǐsài，nǐ kàn ma？

大卫： 谁 跟 谁 比赛？
Dàwèi： Shuí gēn shuí bǐsài?

刘京： 北京 队 对 广东 队。
Liú Jīng： Běijīng duì duì Guǎngdōng duì.

大卫： 那 一定 很 有意思。我 很 想 看，票 一定
Dàwèi： Nà yídìng hěn yǒu yìsi. Wǒ hěn xiǎng kàn, piào yídìng

很 难 买 吧？
hěn nán mǎi ba?

刘京： 现在 去 买，可能 买 得 到。
Liú Jīng： Xiànzài qù mǎi, kěnéng mǎi de dào.

2 ·····

玛丽： 你 在 画 画儿 吗？
Mǎlì： Nǐ zài huà huàr ma?

大卫： 在 写 毛笔字，没 画 画儿。
Dàwèi： Zài xiě máobǐ zì, méi huà huàr.

玛丽： 你 写得 真 不错！
Mǎlì： Nǐ xiě de zhēn búcuò!

大卫： 练了 两 个星期 了。我 没有 和子 写 得 好。
Dàwèi： Liànle liǎng ge xīngqī le. Wǒ méiyǒu Hézǐ xiě de hǎo.

玛丽： 我 也 很 喜欢 写 毛笔字，可是 一 点儿 也
Mǎlì： Wǒ yě hěn xǐhuan xiě máobǐ zì, kěshì yìdiǎnr yě

不会。
bú huì.

大卫：没关系，你想学，王老师可以教你。
Dàwèi：Méi guānxi, nǐ xiǎng xué, Wáng lǎoshī kěyǐ jiāo nǐ.

玛丽：那太好了。
MǎLì：Nà tài hǎo le.

大卫：写累了，我想休息一会儿。
Dàwèi：Xiě lèi le, wǒ xiǎng xiūxi yíhuìr.

玛丽：走，出去散散步吧。
MǎLì：Zǒu, chū qu sànsan bù ba.

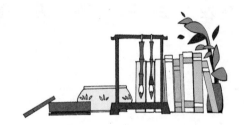

3 替换与扩展 Substitution and Extension

▶ 替换

1. 你游泳游得好不好？	跑步	快	打网球	好
	洗衣服	干净	回答问题	对

2. 票一定很难买吧？	毛笔字	写	广东话	懂
	韩国饭	做	汉语	学

3. 我想休息一会儿。	坐	睡	玩儿	躺

扩展

1. 放 假 的 时候， 他常 去 旅行。
Fàng jià de shíhou, tā cháng qù lǚxíng.

2. 他 每天 早上 打 太极拳，晚饭 后 散步。
Tā měitiān zǎoshang dǎ tàijíquán, wǎnfàn hòu sàn bù.

3. 糟糕， 我 的 钥匙 丢了。
Zāogāo, wǒ de yàoshi diū le.

4 生 词 New Words

1	运动	(名、动)	yùndòng	sports; to exercise
2	爬	(动)	pá	to climb
3	山	(名)	shān	mountain
4	游泳		yóu yǒng	to swim
5	游	(动)	yóu	to swim
6	比赛	(动、名)	bǐsài	to compete; match
7	队	(名)	duì	team
8	毛笔	(名)	máobǐ	writing brush
9	练	(动)	liàn	to practise
10	篮球	(名)	lánqiú	basketball
11	排球	(名)	páiqiú	volleyball
12	教	(动)	jiāo	to teach, to instruct

13 散步		sàn bù	to take a walk
14 跑步		pǎo bù	to jog
15 网球	(名)	wǎngqiú	tennis
16 回答	(动)	huídá	answer
17 话	(名)	huà	speech
18 躺	(动)	tǎng	to lie
19 放假		fàng jià	to be on vacation
20 旅行	(动)	lǚxíng	to travel
21 太极拳	(名)	tàijíquán	*taijiquan*
22 钥匙	(名)	yàoshi	key
23 丢	(动)	diū	to lose

专名 Proper Names

广东   Guǎngdōng   a province of China

5

语 法 Grammar

1 用"有"或"没有"表示比较 The use of "有" and "没有" for comparison

动词"有"或其否定式 "没有" 可用于比较，表示达到或未达到某种程度，这种比较常用于疑问句和否定式。例如：

"有" or its negative form "没有" can be used in a comparison to show the level attained or not yet attained. This kind of comparison is often used in an interrogative sentence and in the negative form, e.g.

(1) 你有他高吗?

(2) 那棵(kē)树有五层楼那么高。

(3) 广州没有北京冷。

(4) 我没有你游得好。

2 时量补语(1) The complement of duration (1)

时量补语用来说明一个动作或一种状态持续多长时间。例如:

A complement of duration is used to indicate the duration of an action or a state, e.g.

(1) 我练了两个星期了。

(2) 我们休息了十分钟。

(3) 火车开走一刻钟了。

(4) 玛丽病了两天,没来上课。

3 用"吧"的疑问句 The interrogative sentence with "吧"

如对某事有了一定的估计,但还不能肯定时,就用语气助词"吧"提问。例如:

If one has only a rough knowledge about something but is not yet sure about it, one uses the modal particle "吧" to raise a question, e.g.

(1) 你最近很忙吧?

(2) 票一定很难买吧?

(3) 你很喜欢打球吧?

6 练 习 Exercises

1 给下面的词配上适当的动词,组成动宾短语,并选择造句 Match the following words with proper verbs to form verb-object constructions and then make sentences with some of them

| 排球 | 飞机 | 事故 | 礼物 | 问题 | 酒 |
| 汽车 | 电话 | 网球 | 生词 | 饭 | 歌 |

2 把下面用"比"的句子改成用"没有"的否定句 Change the following sentences with "比" into their negative forms with "没有"

(1) 他滑冰比我滑得好。

(2) 王兰爬山比张老师爬得快。

(3) 他的手机比我的好。

(4) 这张照片比那张漂亮。

3 给词语选择适当的位置 Insert the given words into the following sentences at the suitable places

（1） 我累极了，A想B休息C。（一会儿）

（2） 他A在北京B住C了D了。（十年）

（3） 他的宿舍离教室很近，A走B就到了C。（一刻钟）

（4） 他A迟到B了C。（十分钟）

4 完成对话 Complete the conversations

（1）A：＿＿＿＿＿＿＿＿＿＿？

B：我喜欢打篮球，＿＿＿＿＿＿＿＿＿＿？

A：我不喜欢打篮球。

B：＿＿＿＿＿＿＿＿＿＿？

A：我喜欢爬山。

（2）A：＿＿＿＿＿＿＿＿＿＿？

B：我不喝酒。

A：＿＿＿＿＿＿＿＿＿？少喝一点儿没关系。

B：我开车，喝酒不安全。

（3）A：你喜欢吃什么饭菜?喜欢不喜欢做饭?

B：＿＿＿＿＿＿＿＿＿，＿＿＿＿＿＿＿＿＿。

（4）A：休息的时候你喜欢做什么？

　　B：＿＿＿＿＿＿＿＿＿＿＿＿＿。

（5）A：你喜欢喝什么？为什么？

　　B：＿＿＿＿＿＿＿＿＿＿＿＿＿。

5 听述 Listen and retell

　　汉斯有很多爱好（àihào hobby），他喜欢运动。冬天滑冰，夏天游泳。到中国以后，他还学会打太极拳了。他画的画儿也不错。他房间里的那张画儿就是他自己画的。可是他也有一个不好的"爱好"，那就是抽烟。现在他身体不太好，要是不抽烟，他的身体一定比现在好。

6 语音练习 Phonetic drills

（1）常用音节练习 Drill on the frequently used syllables

zuo	zuótiān	昨天	jia	huí jiā	回家
	zuǒyòu	左右		jiǎ huà	假话
	zuò liànxí	作练习		fàng jià	放假

（2）朗读会话 Read aloud the conversation

A：Nǐ xǐhuan shénme?

B：Wǒ xǐhuan dòngwù.

A：Wǒ yě xǐhuan dòngwù.

B：Shì ma? Nǐ xǐhuan shénme dòngwù?

A：Wǒ xǐhuan xiǎo gǒu, nǐ ne?

B：Wǒ xǐhuan xióngmāo.

请你慢点儿说
PLEASE SPEAK SLOWLY

1 句子 Sentences

213 我 的 发音 还 差 得 远 呢。
Wǒ de fāyīn hái chà de yuǎn ne.

My pronunciation is very poor.

214 你 学 汉语 学了 多 长
Nǐ xué Hànyǔ xuéle duō cháng

时间 了?
shíjiān le?

How long have you been learning Chinese?

215 你 能 看 懂 中 文 报 吗?
Nǐ néng kàn dǒng Zhōngwén bào ma?

Can you read Chinese newspapers?

216 听 和 说 比较 难，看 比较
Tīng hé shuō bǐjiào nán, kàn bǐjiào

容易。
róngyì.

Comparatively speaking, listening and speaking are difficult, while reading is easy.

217 你 慢 点儿 说，我 听 得 懂。
Nǐ màn diǎnr huō, wǒ tīng de dǒng.

If you speak slowly, I can understand what you say.

218 你 忙 什么 呢?
Nǐ máng shénme ne?

What are you busy with?

219 我 父亲 来了。我 要 陪
Wǒ fùqin lái le. Wǒ yào péi

他 去 旅行。
tā qù lǚxíng.

My father has come. I am going to travel with him.

220 除了 广州、 上海 以
Chúle Guǎngzhōu、Shànghǎi yǐ-

外，我们 还要 去 香港。
wài, wǒmen hái yào qù Xiānggǎng.

We are going to visit HongKong as well as Guangzhou and Shanghai.

2 会话 Conversation

李红: 你 汉语 说 得 很 不错，发音 很 清楚。
Lǐ Hóng: Nǐ Hànyǔ shuō de hěn búcuò, fāyīn hěn qīngchu.

大卫: 哪儿 啊，还 差 得 远 呢。
Dàwèi: Nǎr a, hái chà de yuǎn ne.

李红: 你 学 汉语 学了 多 长 时间 了?
Lǐ Hóng: Nǐ xué Hànyǔ xuéle duō cháng shíjiān le?

大卫: 学了 半 年 了。
Dàwèi: Xuéle bàn nián le.

李红: 你 能 看 懂
Lǐ Hóng: Nǐ néng kàn dǒng

中 文 报 吗?
Zhōngwén bào ma?

大卫：　不能。
Dàwèi：　Bù néng.

李红：　你 觉得 汉语 难 不 难？
Lǐ Hóng：　Nǐ juéde Hànyǔ nán bu nán?

大卫：　听 和 说 比较 难，看 比较 容易，可以 查
Dàwèi：　Tīng hé shuō bǐjiào nán, kàn bǐjiào róngyì, kěyǐ chá

词典。
cídiǎn.

李红：　我 说 的 话，你 能 听懂 吗？
Lǐ Hóng：　Wǒ shuō de huà, nǐ néng tīng dǒng ma?

大卫：　慢 点儿 说，我 听 得 懂。
Dàwèi：　Màn diǎnr shuō, wǒ tīng de dǒng.

李红：　你 应该 多 跟 中国人 谈 话。
Lǐ Hóng：　Nǐ yīnggāi duō gēn Zhōngguórén tán huà.

大卫：　对，这样 可以 提高 听 和 说 的 能力。
Dàwèi：　Duì, zhèyàng kěyǐ tígāo tīng hé shuō de nénglì.

2 ....

王兰：　你 忙 什么 呢？
Wáng Lán：　Nǐ máng shénme ne?

和子：　我 在 收拾 东西 呢，我 父亲 来 了，我 要
Hézǐ：　Wǒ zài shōushi dōngxi ne, wǒ fùqin lái le, wǒ yào

陪 他 去 旅行。
péi tā qù lǚxíng.

王兰： 去 哪儿 啊？
Wáng Lán： Qù nǎr a?

和子： 除了 广州、 上海 以外，还要去 香港。
Hézǐ： Chúle Guǎngzhōu、Shànghǎi yǐwài, hái yào qù Xiānggǎng.

我 得 给 他 当 导游。
Wǒ děi gěi tā dāng dǎoyóu.

王兰： 那 你 父亲 一定 很 高兴。
Wáng Lán： Nà nǐ fùqin yídìng hěn gāoxìng.

和子： 麻烦的是 广东 话、 上海 话 我 都 听 不懂。
Hézǐ： Máfan de shì Guǎngdōnghuà、Shànghǎihuà wǒ dōu tīng bu dǒng.

王兰： 没 关系， 商店、 饭店 都 说 普通话。
Wáng Lán： Méi guānxi, shāngdiàn、fàndiàn dōu shuō pǔtōnghuà.

和子： 他们 能 听懂 我 说 的 话 吗？
Hézǐ： Tāmen néng tīng dǒng wǒ shuō de huà ma?

王兰： 没 问题。
Wáng Lán： Méi wèntí.

和子： 那 我 就 放 心 了。
Hézǐ： Nà wǒ jiù fàng xīn le.

3  替换与扩展 Substitution and Extension

▶ 替换

1. 现在你能看懂 中文报吗？

下午	布置好	教室
后天	修好	电视
晚上	作完	翻译练习

2. 你学汉语学了多长
时间了？
——学了半年了。

看影碟(VCD DVD)	一个小时
翻译句子	一个半小时
听音乐	二十分钟
打字	半个小时

3. 除了广州、上海以外，
我们还要去香港。

饺子	包子	吃菜
京剧	话剧	看杂技
洗衣机	电视	买冰箱

▶ 扩展

1. 汉语　的　发音　不　太　难，语法　也　比较　容易。
　　Hànyǔ　de　fāyīn　bú　tài　nán,　yǔfǎ　yě　bǐjiào　róngyì.

2. 我　预习了　一　个　小时　生词，　现在　这　些
　　Wǒ　yùxíle　yí　ge　xiǎoshí shēngcí,　xiànzài zhè　xiē

　生词　　都　记　住　了。
　shēngcí　dōu　jì　zhù　le.

4

生 词 New Words

1	发音	(名)	fāyīn	pronunciation
2	比较	(副、动)	bǐjiào	comparatively; to compare
3	父亲	(名)	fùqin	father
4	除了…以外		chúle…yǐwài	besides, in addition to, as well as
5	清楚	(形)	qīngchu	clear
6	查	(动)	chá	to check, to look up
7	谈	(动)	tán	to talk, to speak
8	提高	(动)	tígāo	to raise, to improve
9	能力	(名)	nénglì	ability
10	收拾	(动)	shōushi	to clean, to tidy up
11	当	(动)	dāng	to serve as
12	导游	(名)	dǎoyóu	tourist guide
13	普通话	(名)	pǔtōnghuà	common speech
14	放心		fàng xīn	set one's mind at rest, feel relieved
15	后天	(名)	hòutiān	the day after tmorrow
16	影碟	(名)	yǐngdié	video CD (VCD) or digital CD (DVD)
17	小时	(名)	xiǎoshí	hour
18	打字		dǎ zì	to type
19	包子	(名)	bāozi	steamed stuffed bun
20	洗衣机	(名)	xǐyījī	washing machine

21	冰箱	（名）	bīngxiāng	refrigerator
22	语法	（名）	yǔfǎ	grammar
23	预习	（动）	yùxí	to rehearse, to preview
24	记	（动）	jì	to learn by heart

专名 Proper Names

| 1 | 广州 | Gǎngzhōu | Guangzhou (name of a city) |
| 2 | 香港 | Xiānggǎng | Hong Kong |

5

语 法 Grammar

1 时量补语(2) The complement of duration (2)

❶ 动词后有时量补语又有宾语时，一般要重复动词，时量补语在第二个动词之后。例如：

When a verb is followed by both a complement of duration and an object, the verb is usually repeated. Moreover, the complement of duration has to be placed after the second occurrence of the verb, e.g.

(1) 他们开会开了半个小时。　　(2) 他念生词念了一刻钟。

(3) 他学英语学了两年了。

❷ 如果宾语不是人称代词，时量补语也可在动词和宾语之间。时量补语和宾语之间也可以加"的"。例如：

If the object is not a personal pronoun, the complement of duration may be put between the verb and the object. "的" may also be inserted between the complement of duration and the object, e.g.

(4) 他每天看半个小时(的)电视。　　(5) 他跳了半个多小时(的)舞。

(6) 我和妹妹打了二十分钟(的)网球。

❸ 如宾语较复杂或为了强调宾语，也常把宾语提前。例如：

The object may also be moved to the head of the sentence if it is rather complex or needs giving prominence, e.g.

(7) 那件漂亮的毛衣他试了半天。

(8) 那本小说他看了两个星期。

2 "除了……以外" The expression "除了…以外"

❶ 表示在什么之外，还有别的。后边常有"还"、"也"等呼应。例如：

It means "there is something else" and is often followed by "还"、"也", etc.,e.g.

(1) 和子和他父亲除了去上海以外，还去广州、香港。

(2) 除了小王以外，小张、小李也会说英语。

❷ 表示所说的人或事不包括在内。例如：

It expresses the exclusion of the aforementioned person or thing, e.g.

(3) 这件事除了老张以外，我们都不知道。

(4) 除了大卫以外，我们都去过长城了。

6 练 习 Exercises

❶ **熟读下列词语并选择造句** Read until fluent the following words and make sentences with some of them

参观了三小时	比赛了一(个)下午
修了一会儿	疼了一天
翻译了两天	旅行了一个星期
想了几分钟	收拾了半个小时

2 用所给的词语造句 Make sentences with the given words or expressions

例：开会　一个半小时 → 我们开会开了一个半小时。

(1) 听音乐　　　二十分钟
(2) 跳舞　　　　半个小时
(3) 坐火车　　　七个小时
(4) 找钥匙　　　好几分钟

3 仿照例子改写句子 Rewrite the sentences by following the model

例：我喜欢小狗，还喜欢熊猫。→ 除了小狗以外，我还喜欢熊猫。

(1) 我每天都散步，还打太极拳。
(2) 他会说英语，还会说汉语。
(3) 在北京他去过长城，没去过别的地方。
(4) 我们班大卫会划船，别的人不会划船。

4 按照实际情况回答问题 Answer the questions according to actual situations

(1) 你什么时候来北京的？来北京多长时间了？
(2) 来中国以前你学过汉语吗？学了多长时间？
(3) 每星期你们上几天课？
(4) 你每天运动吗？做什么运动？运动多长时间？
(5) 每天你几点睡觉？几点起床？大概睡多长时间？

5 完成对话 Complete the conversation

A：昨天的电影你看了吗？
B：_____。
A：_____？

B：听不懂，说得太快。

A：我也是＿＿＿＿＿＿＿。（要是……能……）

B：我们还要多练习听和说。

6 听述 Listen and retell

　　有一个小孩儿学认（rèn to recognize）字。老师在他的本子上写"人"字，他学会了。第二天，老师见到他，在地上写了个"人"字，写得很大，他不认识了。老师说："这不是'人'字吗？你怎么忘了？"他说："这个人比昨天那个人大多了，我不认识他。"

7 语音练习 Phonetic drills

（1）常用音节练习 Drill on the frequently used syllables

xian	xiānsheng	先生		quan	yuánquān	圆圈
	wēixiǎn	危险			tàijíquán	太极拳
	xiànzài	现在			quàngào	劝告

（2）朗读会话 Read aloud the conversation

A: nā ná nǎ nà.

B: Nǐ liànxí fāyīn ne?

A: Shì a, wǒ juéde fāyīn yǒudiǎnr nán.

B: Nǐ fāyīn hěn qīngchu.

A: Hái chà de yuǎn ne.

B: Yàoshi nǐ měitiān liànxí, jiù néng xué de hěn hǎo.

复习（六）
Review（VI）

一、会话 Conversation

〔阿里(Ālǐ   Ali)、小王跟小李都很喜欢旅行，他们约好今天去天津(Tiānjīn   Tianjin)玩儿。现在阿里和小王在火车站等小李。〕

阿里：小李怎么还不来？

小王：是不是他忘了？

阿里：不会的。昨天我给他打电话，说得很清楚，告诉他十点五十开车，今天我们在这儿等他。

小王：可能病了吧？

阿里：也可能有什么事，不能来了。

小王：火车马上开了，我们也不去了，回家吧。

阿里：去看看小李，问问他怎么回事(zěnme huí shì   what's all this about)。

〔小李正在宿舍里睡觉，阿里和小王进来。〕

阿里：小李，醒醒(xǐngxing   wake up)！

小王：我说得不错吧，他真病了。

小李：谁病了？我没病。

阿里：那你怎么不去火车站呀(ya   a modal particle)？

小李：怎么没去呀，今天早上四点我就起床了，到火车站的时候才四点半。等了你们半天，你们也不来，我就回来了。我又累又困(kùn   sleepy)，就睡了。

小王：我们的票是十点五十的，你那么早去做什么？

小李：什么？十点五十？阿里电话里说四点五十。

小王：我知道了，阿里说"十"和"四"差不多 (chàbuduō   about the same)。

小李：啊！我听错(cuò   wrong)了。

阿里：真对不起，我发音不好，让你白跑一趟(bái pǎo yí tàng   to make a fruitless trip)。

小李：没什么，我们都白跑了一趟。

二、语法 Grammar

几种表示比较的方法 Some ways of expressing comparison

❶ 用副词"更"、"最"表示比较 By using the adverbs "更"and "最"

> (1) 他汉语说得很好，他哥哥说得更好。
> (2) 这次考试他的成绩最好。

❷ "有"表示比较 By using "有"

> (1) 你弟弟有你这么高吗?
> (2) 这种苹果没有那种好吃。
> (3) 我没有他唱得好。(我唱得没有他好。)(我唱歌唱得没有他好。)

❸ "跟······一样"表示比较 By using "跟···一样"

> (1) 今天的天气跟昨天一样。
> (2) 我买的毛衣跟你的一样贵。

以上三种方法都能表示异同或差别，但不能表示具体的差别。

The three above-mentioned ways can all be used to show similarities and differences, but not specific differences.

❹ 用"比"表示比较 By using "比"

> (1) 今天比昨天热。
> (2) 我的自行车比他的新一点儿。
> (3) 他买的词典比我买的便宜两块钱。
> (4) 他打排球比我打得好得多。(他打排球打得比我好得多。)

用"比"来进行比较，不仅能指出有差别，而且还能表示出有多少差别。

"比" is used to indicate not only a difference between two persons or things, but also the extent to which they differ.

三、练习 Exercises

❶ **按照实际情况回答问题** Answer the questions according to actual situations

(1)　你有什么爱好? 你最喜欢做什么?

(2)　你学过什么外语? 你觉得难不难?

(3)　你在中国旅行过吗? 除了普通话以外，哪儿的话容易懂? 哪儿的话不容易懂?

(4)　你住的地方跟北京的天气一样不一样? 北京的天气你习惯不习惯?

(5)　一年中你喜欢春天、夏天，还是喜欢秋天、冬天? 为什么?

❷ 会话 Conversations

(1) 祝贺、祝愿(生日、结婚、节日、毕业)
　　Congratulation and wish (birthday, marriage, festival, graduation)

祝你……好(愉快、幸福)!　　　　谢谢!

祝贺你(了)!　　　　　　　　　谢谢你!

我们给你祝贺生日来了!　　　　谢谢大家!

祝你学习(工作)顺利!　　　　　多谢朋友们!

(2) 劝告(别喝酒、别急、别不好意思)
　　Persuasion (don't drink, don't worry, don't be shy)

你开车，别喝酒。　　　　　别急，你的病会好的。

他刚睡，别说话。　　　　　学汉语要多说，别不好意思。

(3) 爱好(运动、音乐、美术……)
　　Hobbies (sports, music, arts...)

你喜欢什么?

你喜欢做什么?

你最喜欢什么?

❸ 完成对话 Complete the conversation

A: 你学了多长时间汉语了?

B: _____。

A: 你觉得听和说哪个难?

B: _____。

A：写呢？

B：_____。

A：现在你能看懂中文报吗？

B：_____。

④ **语音练习** Phonetic drill

(1) 声调练习：第三声＋第四声 Drill on tones：3rd tone + 4th tone

kǒushì　　　　口试

wǒ qù kǒushì　　　我去口试

wǔ hào wǒ qù kǒushì　　　五号我去口试

(2) 朗读会话 Read aloud the conversation

A：Nǐ zhīdào ma? Shànghǎihuà li bù shuō "wǒmen", shuō "ālā".

B：Ò, yǒu yìsi, hé pǔtōnghuà zhēn bù yíyàng.

A：Hěn duō fāngyán wǒ yě tīng bu dǒng.

B：Suǒyǐ dōu yào xué pǔtōnghuà, shì ba?

A：Nǐ shuō de hěn duì.

四、阅读短文 Reading Passage

　　小张吃了晚饭回到宿舍，刚要打开电视机，就听见楼下有人叫他。他打开窗户往下看，是小刘叫他。

　　小刘给他一张电影票，让他星期日八点去看电影。说好在电影院门口见面。

　　星期天到了。小张先去看了一位朋友，下午去商店买了一些东西。七点四十到电影院。他没看见小刘，就在门口等。

　　差五分八点，电影就要开始了，可是小刘还没来。小张想，小刘可能有事不来了，就一个人进电影院去了。电影院的人对小张说："八点没有电影，是不是你弄错（nòng cuò to make a mistake）了？"小张一看电影票，那上面写的是上午八点。小张想：我太马虎了，要是看看票，或者（huòzhě or, otherwise）问问小刘就好了。

那儿的风景美极了

THE SCENERY IS VERY BEAUTIFUL THERE

1 句子　Sentences

221 中国　的 名胜　古迹多　　There are a great many scenic spots
Zhōngguó de míngshèng gǔjì duō　and historical sites in China.

得 很。
de hěn.

222 你 说 吧，我 听 你 的①。　Please go ahead. I'll leave it to you
Nǐ shuō ba, wǒ tīng nǐ de.　to decide what we shall do (or where
　we shall go).

223 从　这儿到 桂林 坐 火车　How long will it take to go from here
Cóng zhèr dào Guìlín zuò huǒchē　to Guilin by train?

要 坐 多 长　时间？
yào zuò duō cháng shíjiān?

224 七 点 有 电影，现在 去　There'll be a film at 7 o'clock.Can we
Qī diǎn yǒu diànyǐng, xiànzài qù　get there in time if we start right
　now?

来 得 及 来 不 及?
lái de jí lái bu jí?

225 我们 看 电影 去。　Let's go and see a film.
Wǒmen kàn diànyǐng qu.

226 我想 买些 礼物 寄回 家去。
Wǒ xiǎng mǎi xiē lǐwù jì huí jiā qu.

I want to buy some presents to mail back home.

227 上海 的 东西 比 这儿 多 得多。
Shànghǎi de dōngxi bǐ zhèr duō de duō.

There are much more commodities in Shanghai than (in) here.

228 你 不是 要 去 豫园 游览 吗?
Nǐ bú shì yào qù Yùyuán yóulǎn ma?

You want to visit the Yuyuan Park, don't you?

2 会话 Conversation

大卫: 快 放假 了, 你 想 不想 去 旅行?
Dàwèi: Kuài fàng jià le, nǐ xiǎng bu xiǎng qù lǚxíng?

玛丽: 当然 想。
Mǎlì: Dāngrán xiǎng.

大卫: 中国 的 名胜 古迹多 得很, 去 哪儿 呢?
Dàwèi: Zhōngguó de míngshèng gǔjì duō de hěn, qù nǎr ne?

玛丽：　你 说 吧，听 你 的。
Mǎlì：　Nǐ shuō ba, tīng nǐ de.

大卫：　先 去 桂林 吧，那儿 的 风景 美极 了！
Dàwèi：　Xiān qù Guìlín ba, nàr de fēngjǐng měi jí le!

玛丽：　从 这儿 到 桂林 坐 火车 要 坐 多 长 时间？
Mǎlì：　Cóng zhèr dào Guìlín zuò huǒchē yào zuò duō chán shíjiān?

大卫：　大概 得 二十 多 个 小时。我们 在 桂林 玩儿
Dàwèi：　Dàgài děi èrshí duō ge xiǎoshí. Wǒmen zài Guìlín wánr

　　　　三 四 天，然后 去 上海。
　　　　sān sì tiān, ránhòu qù Shànghǎi.

玛丽：　这 个 计划 不错，就 这么 办 吧。七 点 有
Mǎlì：　Zhè ge jìhuà búcuò, jiù zhème bàn ba. Qī diǎn yǒu

　　　　电影，现在 去 来 得 及 来 不 及?
　　　　diànyǐng, xiànzài qù lái de jí lái bu jí?

大卫：　来 得 及。
Dàwèi：　Lái de jí.

玛丽：　我们 看 电影 去 吧。
Mǎlì：　Wǒmen kàn diànyǐng qu ba.

大卫：　走 吧。
Dàwèi：　Zǒu ba.

2 ....

和子： 上海　是 中国　最大的 城市。
Hézǐ： Shànghǎi shì Zhōngguó zuì dà de chéngshì.

王兰： 对，上海　的 东西 比 这儿 多 得 多。
Wáng Lán： Duì, Shànghǎi de dōngxi bǐ zhèr duō de duō.

和子： 去 上海　的 时候，我 想 买 些 礼物 寄
Hézǐ： Qù Shànghǎi de shíhou, wǒ xiǎng mǎi xiē lǐwù jì

回家 去。你 觉得 上海　哪儿 最 热闹?
huí jiā qu. Nǐ juéde Shànghǎi nǎr zuì rènao?

王兰： 南京　路。那儿 有 各种 各样 的 商店，
Wáng Lán： Nánjīng Lù. Nàr yǒu gèzhǒng gèyàng de shāngdiàn,

买 东西 非常 方便。
mǎi dōngxi fēicháng fāngbiàn.

和子： 听 说 上海 的 小吃 也 很 有名。
Hézǐ： Tīng shuō Shànghǎi de xiǎochī yě hěn yǒumíng.

王兰： 你 不 是 要 去 豫园　游览 吗? 顺便　可以
Wáng Lán： Nǐ bú shì yào qù Yùyuán yóulǎn ma? Shùnbiàn kěyǐ

尝尝　那儿 的 小吃。对了②,
chángchang nàr de xiǎochī. Duì le.

你 还 可以 去 参观
nǐ hái kěyǐ qù cānguān

一下儿 浦东 开发区。
yíxiàr Pǔdōng Kāifā qū.

注释：Notes

① "你说吧，听你的"

这句话的意思是"你说你的意见吧，我按你说的去做"。当无条件地同意对方的意见时，就可以这样说。

This sentence means "Speak your mind, and I shall do what ever you tell me to " and is used when you are prepared to agree to whatever your hearer is going to say.

② "对了"

在口语中，当说话人忽然想起应该做某事或要补充说明某事时，就说"对了"。

In everyday conversation, when a speaker suddenly thinks of something he should do or add, he says "对了" (Oh yes,...).

3 替换与扩展 Substitution and Extension

替换

1. 我们看电影去。	开会	参观博物馆
	游览名胜古迹	看话剧
	吃小吃	上保险

2. 坐火车要坐多长时间？	坐船	坐飞机
	骑车	办手续

3. 我想买些礼物寄回家去。	菜 送	药 寄
	水果 带	小吃 拿

扩展

A: 我 的 圆珠笔 找 不 到 了。
Wǒ de yuánzhūbǐ zhǎo bu dào le.

B: 那 不 是 你 的 圆珠笔 吗?
Nà bú shì nǐ de yuánzhūbǐ ma?

A: 啊, 找 到 了。
À, zhǎo dào le.

4

生 词 New Words

1	风景	(名)	fēngjǐng	scenery
2	名胜古迹		míngshèng gǔjì	scenic spots and historical sites
3	来得及		lái de jí	to be able to do something in time
4	来不及		lái bu jí	too late to do..., to have no time to...
5	游览	(动)	yóulǎn	to go sight-seeing
6	然后	(连)	ránhòu	then
7	计划	(名、动)	jìhuà	plan; to plan
8	办	(动)	bàn	to do, to make
9	热闹	(形)	rènao	bustling with excitement, lively
10	各	(代)	gè	every, each
11	非常	(副)	fēicháng	very, most
12	小吃	(名)	xiǎochī	refreshments

13	有名	（形）	yǒumíng	famous, well-known
14	顺便	（副）	shùnbiàn	by the way, at one's convenience
15	城市	（名）	chéngshì	city
16	开发	（动）	kāifā	to develop
17	区	（名）	qū	zone, district
18	博物馆	（名）	bówùguǎn	museum
19	上保险		shàng bǎoxiǎn	to buy insurance, to insure
20	手续	（名）	shǒuxù	procedure
21	水果	（名）	shuǐguǒ	fruit
22	圆珠笔	（名）	yuánzhūbǐ	ball-pen

专名 Proper Names

1	桂林	Guìlín	Guilin (name of a city)
2	南京路	Nánjīng Lù	Nanjing Road
3	豫园	Yùyuán	the Yuyuan Park
4	浦东	Pǔdōng	Pudong (name of a development zone in Shanghai)

5 语 法 Grammar

1 趋向补语(3) The directional complement (3)

❶ 动词 "上"、"下"、"进"、"出"、"回"、"过" 等后面加上 "来" 或 "去"，以及动词加上 "起来"，可作其他动词的补语，表示动作的方向。这种趋向补语叫复合趋向补语。例如：

When the verb "上", "下", "进", "出", "回" or "过", takes "来" or "去" after it and the verd tades "起来", it may serve as the complement of another verb to express the direction of the action. Such a directional complement is called the compound directional complement, e.g.

(1) 他从教室走出来了。

(2) 他想买些东西寄回去。

② 复合趋向补语中的"来","去"所表示的方向与说话人(或所谈论的事物)之间的关系,表示处所的宾语的位置都与简单趋向补语相同。例如:

The direction of motion indicated by "来"or "去" in such a complement with relation to the speaker (or something in question) and the position of the object of locality are similar to those of a simple directional complement, e. g.

(3) 上课了,老师走进教室来了。

(4) 那些照片都寄回国去了。

2 "不是……吗? " the rhetoric question with "不是…吗? "

"不是……吗? "构成的反问句,用来表示肯定,并有强调的意思。例如:

The rhetoric question with "不是…吗? "is used to express affirmation and achieve emphasis, e.g.

(1) 你不是要去旅行吗? (你要去旅行)

(2) 这个房间不是很干净吗? (这个房间很干净)

6 练 习 Exercises

1 选择适当的动词组成动宾结构并造句 Choose proper verbs to form verb-object constructions and make sentences

例: 字 A. 写   那个孩子正在写字。
        B. 画

(1) 名胜古迹 A. 游览   (2) 风景 A. 参观   (3) 手续 A. 作
              B. 旅行   B. 看   B. 办

(4) 能力　A. 提高　　(5)电影　A. 演　　(6)自行车　A. 坐
　　　　　B. 练好　　　　　　　B. 开　　　　　　　　B. 骑

2 **用动词及趋向补语完成句子** Complete the sentences with the verbs given in parentheses and directional complements

(1) 注意，前边＿＿＿＿＿＿一辆汽车。（开）

(2) 楼下有人找你，你快＿＿＿＿＿吧。（下）

(3) 下课了，我们的老师＿＿＿＿＿了。（走）

(4) 山上的风景很好，你们快＿＿＿＿＿吧。（爬）

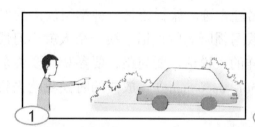

3 **仿照例子，把下面的句子改成疑问句** Change the following sentences into questions by following the model

例: 昨天我们跳舞跳了两个小时。　→　昨天你们跳舞跳了几个小时?
　　　　　　　　　　　　　　　或: 昨天你们跳舞跳了多长时间?

(1) 我来北京的时候，坐飞机坐了十二个小时。

(2) 昨天我爬山爬了三个小时。

(3) 今天早上我吃饭吃了一刻钟。

(4) 从这儿到北海，骑车要骑一个多小时。

(5) 昨天我们划船划了两个小时。

4 说话 Say what you can

介绍一个你游览过的名胜古迹。

提示：风景怎么样？有什么有名的东西？你最喜欢什么？游览了多长时间？

Talk about one of the scenic spots or historical sites you've visited.

Suggested points: What about the scenery? What is it famous for?

What do you like best? How long did you stay there?

5 听述 Listen and retell

　　我喜欢旅行，旅行可以游览名胜古迹。旅行还是一种学习汉语的好方法（fāngfǎ method）。在学校，我习惯听老师说话，换一个人就不习惯了。可是旅行的时候要跟各种各样的人说话，要问路、要参观、要买东西……这是学习汉语的好机会（jīhuì opportunity）。放假的时候我就去旅行，提高我的听说能力。

6 语音练习 Phonetic drills

（1）常用音节练习 Drill on the frequently used syllables

shuo	shuō huà	说话		qu	qǔdé	取得
	xiǎoshuō	小说			qùnián	去年
	fēngshuò	丰硕			chūqu	出去

（2）朗读会话 Read aloud the conversation

A: Fàng jià yǐhòu nǐ jìhuà zuò shénme?

B: Wǒ xiǎng qù lǚxíng.

A: Nǐ qù nǎr?

B: Qù Dōngběi.

A: Xiànzài Dōngběi duō lěng a!

B: Lěng hǎo a, kěyǐ kàn bīngdēng.

你的钱包忘在这儿了
YOU'VE LEFT YOUR PURSE (OR WALLET) HERE

1

句子　Sentences

229　你 看见 和子 了 吗?　Have you seen Wako?
　　　Nǐ kàn jiàn Hézǐ le ma?

230　你 进 大厅 去 找 她 吧。　You'd better go and look
　　　Nǐ jìn dàtīng qu zhǎo tā ba.　for her in the hall.

231　三 天 以内 的 机票 都 没有 了。　The air tickets for the recent
　　　Sān tiān yǐnèi de jīpiào dōu méiyǒu le.　three days are sold out.

232　您 应该 早 点儿 预订 飞机 票。　You should book your air-
　　　Nín yīnggāi zǎo diǎnr yùdìng fēijī piào.　plane ticket as early as
　　　　　possible.

233　我 有 急 事，您 帮帮 忙 吧!　I am sorry to bother you, but
　　　Wǒ yǒu jí shì, nín bāngbang máng ba!　I have something urgent.

234　有 一 张 十五 号 晚上 八　There is a returned ticket for
　　　Yǒu yì zhāng shíwǔ hào wǎnshang bā　8:00 PM of the 15th.

　　　点 的 退票。
　　　diǎn de tuì piào.

235　机票 上 写着 十四 点 零 五　The airplane ticket says
　　　Jīpiào shang xiězhe shísì diǎn líng wǔ　that the plane leaves at 14:05.

　　　分 起飞。
　　　fēn qǐfēi.

236 小姐，你 的 钱包 忘 在 这儿 了。
Xiǎojie, nǐ de qiánbāo wàng zài zhèr le.

You've left you purse here, miss.

2

会话 Conversation

1.....

刘京： 你 看见 和子 了 吗?
Liú Jīng： Nǐ kànjiàn Hézǐ le ma.

玛丽： 没 看见。 你 进 大厅 去 找 她 吧。
Mǎlì： Méi kànjiàn. Nǐ jìn dàtīng qù zhǎo tā ba.

2.....

刘京： 和子，买 到 票 了 没有?
Liú Jīng： Hézǐ, mǎi dào piào le méiyǒu?

和子： 还 没有 呢。
Hézǐ： Hái méiyǒu ne.

刘京： 快 到 南边 六 号 窗口 去 买。
Liú Jīng： Kuài dào nánbiān liù hào chuāngkǒu qù mǎi.

......

和子： 买 两 张 去 上海 的 票。
Hézǐ： Mǎi liǎng zhāng qù Shànghǎi de piào.

售票员：　要 哪 天 的?
shòupiàoyuán：Yào nǎ tiān de?

和子：　明天　 的 有 没 有?
Hézǐ：Míngtiān de yǒu méi yǒu?

售票员：　卖 完 了。有 后 天 的，要 不 要?
shòupiàoyuán：Mài wán le. Yǒu hòutiān de, yào bu yào?

和子：　要。我 想 白天 到，买 哪 次 好?
Hézǐ：Yào. Wǒ xiǎng báitiān dào, mǎi nǎ cì hǎo?

售票员：　买 十 三 次 吧。要 硬卧 还是 软卧?
shòupiàoyuán：Mǎi shísān cì ba. Yào yìngwò háishi ruǎnwò?

和子：　硬卧。
Hézǐ：Yìngwò.

尼娜：　到 北京 的 飞机 票 有 吗?
Nínà：Dào Běijīng de fēijī piào yǒu ma?

售票员：　三 天 以内 的 都 没有 了。你 应该 早 点儿
shòupiàoyuán：Sān tiān yǐnèi de dōu méiyǒu le. Nǐ yīnggāi zǎo diǎnr

预订。
yùdìng.

尼娜：　我 有 急 事，帮帮 忙 吧!
Nínà：Wǒ yǒu jí shì, bāngbang máng ba!

售票员： 你 等等， 我 再 查查。 真 巧， 有 一 张 十
shòupiàoyuán： Nǐ děngdeng, wǒ zài chácha. Zhēn qiǎo, yǒu yì zhāng shí

五 号 晚上 八 点 的 退票。
wǔ hào wǎnshang bā diǎn de tuì piào.

尼娜： 我 要 了。这是 我 的 护照。 请问， 从 这儿
Nínà： Wǒ yào le. Zhè shì wǒ de hùzhào. Qǐng wèn, cóng zhèr

到 北京 要 多 长 时间？
dào Běijīng yào duō cháng shíjiān?

售票员： 一个 多 小时。
shòupiàoyuán： Yí ge duō xiǎoshí.

尼娜： 几点 起飞？
Nínà： Jǐ diǎn qǐfēi?

售票员： 您看， 机票 上 写着 十四点 零 五分 起飞。
shòupiàoyuán： Nín kàn, jīpiào shang xiězhe shísì diǎn líng wǔ fēn qǐfēi.

售票员： 小姐， 您的 钱包 忘 在 这儿了。
shòupiàoyuán： Xiǎojie, nín de qiánbāo wàng zài zhèr le.

尼娜: **太 谢谢 你 了。**

Nínà: Tài xièxie nǐ le.

3 替换与扩展 Substitution and Extension

▷ 替换

1.你买到 票了没有?	找到	钱包	看到	广告
	检查完	身体	办好	签证

2.你的钱包 忘在这儿了。	他	行李	放
	她	衣服	挂
	王先生	汽车	停

3.你进 大厅去找她吧。	进	图书馆	回	宿舍
	到	她家	进	礼堂

▷ 扩展

1.A: **我 的 汉语 书 忘 在 宿舍 里了，怎么 办?**

　　Wǒ de Hànyǔ shū wàng zài sùshè li le, zěnme bàn?

　B: **现在 马上 回 宿舍 去 拿，来 得 及。**

　　Xiànzài mǎshàng huí sùshè qu ná, lái de jí.

2.**大家 讨论 一下儿，哪 个 办法 好。**

　Dàjiā tǎolùn yíxiàr, nǎ ge bànfǎ hǎo.

4 生 词 New Words

1	钱包	(名)	qiánbāo	purse, wallet
2	大厅	(名)	dàtīng	hall
3	以内	(名)	yǐnèi	within, under
4	预订	(动)	yùdìng	to book, to reserve
5	帮忙		bāng máng	to help
6	退	(动)	tuì	to return
7	着	(助)	zhe	(aspect particle)
8	窗口	(名)	chuāngkǒu	window
9	卖	(动)	mài	to sell
10	白天	(名)	báitiān	daytime
11	硬卧	(名)	yìngwò	hard sleeper
12	软卧	(名)	ruǎnwò	soft sleeper
13	护照	(名)	hùzhào	passport
14	广告	(名)	guǎnggào	advertisement
15	检查	(动)	jiǎnchá	to check
16	签证	(名)	qiānzhèng	vise
17	行李	(名)	xíngli	luggage
18	挂	(动)	guà	to hang
19	停	(动)	tíng	to stop

20	图书馆	（名）	túshūguǎn	library
21	礼堂	（名）	lǐtáng	auditorium
22	讨论	（动）	tǎolùn	to discuss
23	办法	（名）	bànfǎ	measure

5 语　法 Grammar

1　动作的持续 The duration of an action

❶ 动态助词"着"加在动词后边，表示动作、状态的持续。否定形式是"没(有)……着"。例如：

The aspect particle "着" is put after the verb to denote the duration of an action or a state. Its negative form is "没(有)…着", e.g.

　(1) 窗户开着，门没开着。　　(2) 衣柜里挂着很多衣服。
　(3) 书上边没写着你的名字。　(4) 他没拿着东西。

❷ 它的正反疑问句的形式是用"……着……没有"表示。例如：

In an affirmative-negative question, it takes the form of "…着…没有", e.g.

　(5) 门开着没有？
　(6) 你带着护照没有？

2 "见" 作结果补语　"见" as a complement of result

　"见"常在"看"或"听"之后作结果补语。"看见"的意思是"看到"；"听见"的意思是"听到"。

　"见" is often used after "看" (to look) or "听" (to listen) as a complement of result. "看见" means "see" while "听见" means "hear".

6 练 习 Exercises

1 根据情况，用趋向补语和下边的词语造句 Make sentences with directional complements and the following words according to the given situations

例：进 候机室（说话人在外边） → 刚才他进候机室去了。

(1) 上 山 （说话人在山下）
(2) 进 教室 （说话人在教室）
(3) 进 公园 （说话人在公园外）
(4) 下 楼 （说话人在楼下）
(5) 回 家 （说话人在外边）

2 用动词加"着"填空 Fill in the blanks using verbs and "着"

(1) 衣服在衣柜里_____呢。
(2) 你找钱包？不是在你手里_____吗？
(3) 我的自行车钥匙在桌子上_____，你去拿吧。
(4) 九楼前边_____很多自行车。
(5) 我的书上_____我的名字呢，能找到。
(6) 参观的时候你_____他去，他不认识那儿。

3 看图说话（用上动词加"着"） Talk about the following picture

4 用"从……到……"回答问题 Answer the questions with "从…到…"

(1) 每星期你什么时候上课?

(2) 你每天从几点到几点上课?

(3) 从你们国家到北京远不远?

5 完成对话 Complete the conversation

A：可以预订火车票吗?

B：＿＿＿＿＿＿。你去哪儿?

A：＿＿＿＿＿＿。

B：＿＿＿＿＿＿＿?

A：我要一张四月十号的。

B：＿＿＿＿＿＿＿＿＿?

A：要软卧。

6 根据下面的火车时刻表买票 Buy tickets by referring to the following train time table

火车时刻表 Train time-table

车次	种类	起止点	开车时间	到达时间
			departures	arrivals
T 209	特快	北京--南京	7：50	18：25
T 223	特快	北京--南京	12：54	23：10
K 41	直快	北京--西安	17：51	7：41(第二天)
125	直快	北京--西安	10：00	6：38(第二天)

(1) 去天津(Tiānjīn)可以买当天(dàngtiān the same day)的票。

(2) 去西安的卧铺票要提前三天预订。

7 **听述** Listen and retell

张三和李四去火车站。进去以后，离开车只(zhǐ only)有五分钟了。他们赶紧（gǎnjǐn without haste）快跑。张三跑得快，先上了火车。他看见李四还在车下边，急了，就要下车。服务员说："先生，不能下车，车就要开了，来不及了。" 张三说："不行，要走的是他，我是来送他的。"

8 **语音练习** Phonetic drills

(1) 常用音节练习 Drill on the frequently used syllables

chu	chū lai	出来		er	érzi	儿子
	chúfáng	厨房			ěrduo	耳朵
	dàochù	到处			èryuè	二月

(2) 朗读会话 Read aloud the conversation

A: Huǒchē shang yǒudiǎnr rè.

B: Kāi chē yǐhòu jiù liángkuai le.

A: Zhè xiē dōngxi fàng zài nǎr?

B: Fàng zài shàngbiān de xínglijià shang.

A: Zhēn gāo a.

B: Wǒ bāng nǐ fàng.

A: Máfan nǐ le.

B: Bú kèqi.

33

有空房间吗
ARE THERE ANY VACANT ROOMS

1 句子 Sentences

237 终于 到了 桂林 了。
Zhōngyú dàole Guìlín le.

We've got to Guilin at last.

238 哎呀，累死 了!①
Āiyā, lèi sǐ le!

Oh, my God! I am really worn out.

239 你 只要 找 个 交通
Nǐ zhǐyào zhǎo ge jiāotōng

Any hotel would be okey if it is near the downtown area.

方便 的旅馆 就行。
fāngbiàn de lǚguǎn jiù xíng.

240 你们 在 前边 那个
Nǐmen zài qiánbiān nà ge

You'll wait for me at the bus stop ahead.

汽车站 等 我。
qìchēzhàn děng wǒ.

241 请问， 有空 房间 吗?
Qǐng wèn, yǒu kòng fángjiān ma?

Excuse me, but are there any vacant rooms here?

242 现在 没有 空 房间，
Xiànzài méiyǒu kòng fángjiān,

All rooms are occupied.

都 住 满 了。
dōu zhù mǎn le.

243 那 个 包 你 放 进 衣柜 里 去 Please put that bag into
Nà ge bāo nǐ fàng jìn yīguì li qu the wardrobe.

吧。
ba.

244 那 个 包 很 大，放 得 进 去 Can you put that big bag
Nà ge bāo hěn dà, fàn de jìn qu into it?

放 不 进 去?
fàng bu jìn qu?

2 会话 Conversation

大卫: 终于 到 了 桂林 了。
Dàwèi: Zhōngyú dàole Guìlín le.

尼娜: 哎呀，累 死 了！
Nínà: Āiyā, lèi sǐ le!

玛丽: 大卫，你 快 去 找 住 的 地方 吧。
Mǎlì: Dàwèi, nǐ kuài qù zhǎo zhù de dìfang ba.

大卫: 找 什么 样 的 旅馆 好 呢?
Dàwèi: Zhǎo shénmeyàng de lǚguǎn hǎo ne?

玛丽： 只要 找 个 交通 方便 的 就行。
Mǎlì： Zhǐyào zhǎo ge jiāotōng fāngbiàn de jiù xíng.

大卫： 那 你们 慢慢 地 走，在 前边 那个
Dàwèi： Nà nǐmen mànmān de zǒu, zài qiánbiān nà ge

汽车站 等 我。我 去 问问。
qìchēzhàn děng wǒ. Wǒ qù wènwen.

大卫： 请问， 有 空 房间 吗?
Dàwèi： Qǐng wèn, yǒu kòng fángjiān ma?

服务员： 现在 没有， 都 住满 了。
fúwùyuán： Xiànzài méiyǒu, dōu zhù mǎn le.

大卫： 请 您 想想 办法，帮 个 忙 吧!
Dàwèi： Qǐng nín xiǎngxiang bànfǎ, bāng ge máng ba!

服务员： 你们 几 位?
fúwùyuán： Nǐmen jǐ wèi?

大卫： 两 个 女 的，一 个 男 的。
Dàwèi： Liǎng ge nǚ de, yí ge nán de.

服务员： 你们 等 一会儿 看看，可能 有 客人 要 走。
fúwùyuán： Nǐmen děng yíhuìr kànkan, kěnéng yǒu kèren yào zǒu.

*3. · · · ·

玛丽： 这个 房间 很 不错，窗户 很 大。
Mǎlì： Zhè ge fángjiān hěn búcuò, chuānghu hěn dà.

尼娜： 我 想 洗澡。
Nínà： Wǒ xiǎng xǐ zǎo.

玛丽： 先 吃 点儿 东西 吧。
Mǎlì： Xiān chī diǎnr dōngxi ba.

尼娜： 我 不饿，刚才 吃了 一块 蛋糕。
Nínà： Wǒ bú è, gāngcái chīle yí kuài dàngāo.

玛丽： 那个 包 你 放进 衣柜 里 去 吧。
Mǎlì： Nà ge bāo nǐ fàng jìn yīguì li qu ba.

尼娜： 包 很 大，放 得 进去 放 不 进去？
Nínà： Bāo hěn dà, fàng de jìn qu fàng bu jìn qu?

玛丽： 你 试试。
Mǎlì： Nǐ shìshi.

尼娜： 放 得 进去。我 的 红 衬衫 怎么 不见 了？
Nínà： Fàng de jìn qu. Wǒ de hóng chènshān zěnme bú jiàn le?

玛丽： 不 是 放 在 椅子 上 吗?
Mǎlì： Bú shì fàng zài yǐzi shang ma?

尼娜：　啊，　刚　放 的 就 忘　了。

Nínà：　À，　gāng fàng de　jiù　wàng　le.

注释：Notes

① "累死了！" I'm really worn out.

"死" 作补语，表示程度高，即 "达到极点" 的意思。

"死" as a complement indicates a great extent, i.e. the limit of a scale.

3 替换与扩展 Substitution and Extension

▶ 替换

1. <u>累</u> 死了！	麻烦	忙	饿	渴	高兴	难

2. 只要<u>找 个 交通方便</u>的 <u>旅馆</u>就行。	买 个	质量好	空调
	穿 件	颜色好看	衣服
	买 支	好用	笔
	找 个	离市中心近	饭店

3. 那<u>个</u> <u>包</u>你放进<u>衣柜</u> 里去吧。	条	裙子	箱子
	条	裤子	包
	件	毛衣	衣柜
	瓶	啤酒	冰箱

扩展

1. 餐厅 在 大门 的 旁边。
   Cāntīng zài dàmén de pángbiān.

2. A: 你 洗 个 澡 吧。
   Nǐ xǐ ge zǎo ba.

   B: 不, 我 饿死了, 先 吃 点儿 东西 再说。
   Bù, wǒ è sǐ le, xiān chī diǎnr dōngxi zài shuō.

4 生 词 New Words

1 空	(形)	kòng	vacant
2 终于	(副)	zhōngyú	at last, finally
3 死	(动、形)	sǐ	to die; dead
4 只要…		zhǐyào…	if… then…
就…		jiù…	
5 旅馆	(名)	lǚguǎn	hotel
6 满	(形)	mǎn	occupied, full
7 包	(名)	bāo	bag
8 地	(助)	de	(structural particle)
9 客人	(名)	kèren	guest
10 洗澡		xǐ zǎo	to have a bath
11 饿	(形)	è	hungry

12	衬衫	（名）	chènshān	shirt, blouse
13	椅子	（名）	yǐzi	chair
14	渴	（形）	kě	thirsty
15	质量	（名）	zhìliàng	quality
16	空调	（名）	kōngtiáo	air-condition
17	市	（名）	shì	city
18	中心	（名）	zhōngxīn	centre, downtown area
19	裙子	（名）	qúnzi	skirt
20	箱子	（名）	xiāngzi	trunk, suitcase
21	裤子	（名）	kùzi	trousers, pants
22	餐厅	（名）	cāntīng	dining hall

5  语 法 Grammar

1 形容词重叠与结构助词"地" Reduplication of adjectives and the structural particle "地"

❶ 一部分形容词可以重叠，重叠后表示性质程度的加深。

单音节形容词重叠后第二个音节可变为第一声，并可儿化。如 "好好儿"、"慢慢儿" 等；双音节形容词的重叠形式为 "AABB"。例如 "高高兴兴"、"干干净净" 等。

There are a number of adjectives that can be reduplicated in Chinese. When an adjective is reduplicated, its meaning properties are intensified.

When a monosyllabic adjective is reduplicated, the second syllable sometimes is pronounced in the lst tone and can be retroflexed with "r", e. g. "好好儿", "慢慢儿". The reduplication of a disyllabic adjective takes the form "AABB", e. g. "高高兴兴", "干干净净".

❷ 单音节形容词重叠后作状语用不用"地"都可，双音节形容词重叠作状语一般要用 "地"。例如：

A reduplicated monosyllabic adjective may or may not take "地" when it is used as an adverbial, while a reduplicated disyllabic adjective normally requires "地", e.g.

    (1) 你们慢慢(地)走啊！

    (2) 他高高兴兴地说："我收到了朋友的来信。"

    (3) 玛丽舒舒服服地躺在床上睡了。

2 可能补语(2) The potential complement (2)

❶ 动词和趋向补语之间加 "得" 或 "不"，就可构成可能补语。例如：

The potential complement can also be formed by inserting a structural particle "得"or "不" between a verb and a directional complement, e.g.

    (1) 他们去公园了，十二点以前回得来。

    (2) 山很高，我爬不上去。

❷ 正反疑问句的构成方式是并列可能补语的肯定形式和否定形式。例如：

An affirmative-negative question is formed by juxtaposing the positive and the negative forms of a potential complement, e.g.

    (3) 你们十二点以前回得来回不来？

    (4) 门很小，汽车开得进来开不进来？

6   练 习 Exercises

❶ 填上适当的量词 Supply the proper measure words

一＿＿衬衫	两＿＿裤子	一＿＿裙子
一＿＿桌子	三＿＿马路	一＿＿衣柜
四＿＿小说	两＿＿票	一＿＿自行车
三＿＿圆珠笔	一＿＿小狗	三＿＿客人

2 把下面的句子改成正反疑问句 Change the following sentences into affirmative-negative questions

例：今天晚上六点你回得来吗？ → 今天晚上六点你回得来回不来？

(1) 那个门很小，汽车开得进去吗？
(2) 这个包里再放进两件衣服，放得进去吗？
(3) 这么多药水你喝得下去吗？
(4) 箱子放在衣柜上边，你拿得下来吗？

3 用"只要……就"回答问题 Answer the questions with "只要…就"

例：明天你去公园吗？ → 只要天气好，我就去。

(1) 中国人说话，你听得懂吗？
(2) 你去旅行吗？
(3) 明天你去看杂技吗？
(4) 你想买什么样的衬衫？

4 完成对话 Complete the conversation

A：请问，一个房间_____？
B：一天一百五十块。
A：_____？
B：有两张床。
A：_____？
B：很方便，一天二十四小时都有热水。
A：这儿能打国际电话吗？
B：_____。
A：好，我要一个房间。

5 **会话** Conversation

　　在饭店看房间，服务员说这个房间很好，你觉得太贵了，想换一个。

　　提示：房间大小，有什么东西，能不能洗澡，是不是干净，一天多少钱，住几个人。

An attendant at a hotel has just taken you to a room, saying that it is a nice one. You feel that it is very expensive and want to change it for another.

Suggested points: You want to know the size, the furniture, the bathing facilities, the sanitary conditions, the rent and the capacity of the room.

6 **听述** Listen and retell

　　这个饭店不错。房间不太大，可是很干净。每个房间都能洗澡，很方便。晚上可以看电视，听音乐。饭店的楼上有咖啡厅和卡拉OK。客人们白天在外边参观游览了一天，晚上喝杯咖啡，唱唱卡拉OK，可以好好地休息休息。

7 **语音练习** Phonetic drills

（1）常用音节练习 Drill on the frequently used syllables

xing	xīngqī	星期	hui	huīfù	恢复
	zìxíngchē	自行车		huí jiā	回家
	xìngmíng	姓名		huì Hànyǔ	会汉语

（2）朗读会话 Read aloud the conversation

A: Qǐng wèn, yǒu kòng fángjiān ma?

B: Duìbuqǐ, xiànzài méiyǒu.

A: Shénme shíhou néng yǒu?

B: Xiàwǔ liù diǎn.

A: Hǎo, liù diǎn zài lái.

我头疼
I HAVE A HEADACHE

1

句子　Sentences

245　你 怎么 了？
Nǐ zěnme le?

Is there anything wrong with you?

246　我 头 疼，咳嗽。
Wǒ tóu téng, késou.

I have a headache and a cough.

247　我 昨天 晚上 就 开始
Wǒ zuótiān wǎnshang jiù kāishǐ

不 舒服 了。
bù shūfu le.

I began to feel unwell last night.

248　你 把 嘴 张 开，我 看看。
Nǐ bǎ zuǐ zhāng kāi, wǒ kànkan.

Please open your mouth and let me have a look.

249　吃 两 天 药 就 会 好 的。
Chī liǎng tiān yào jiù huì hǎo de.

Take medicine for two days and you will get well.

250　王 兰 呢？①
Wáng Lán ne?

Where is Wang Lan?

251　我 一 下 课 就 找 她。
Wǎ yí xià kè jiù zhǎo tā.

I will look for her as soon as I finish the classes.

252　我 找 了 她 两 次，都 不 在。
Wǒ zhǎole tā liǎng cì, dōu bú zài.

I looked for her twice, but she was not in on both occasions.

2 会话 Conversation

大夫： 你 怎么 了？
dàifu: Nǐ zěnme le?

玛丽： 我 头 疼，咳嗽。
Mǎlì: Wǒ tóu téng, késou.

大夫： 几 天 了？
dàifu: Jǐ tiān le?

玛丽： 昨天 上午　还 好好的，　晚上　就 开始
Mǎlì: Zuótiān shàngwǔ hái hǎohāode, wǎnshang jiù kāishǐ

不 舒服 了。
bù shūfu le.

大夫： 你 吃 药 了 吗？
dàifu: Nǐ chī yào le ma?

玛丽： 吃了 一次。
Mǎlì: Chīle yí cì.

大夫： 你 把 嘴 张 开，我 看看。嗓子 有 点儿 红。
dàifu: Nǐ bǎ zuǐ zhāng kāi, wǒ kànkan. Sǎngzi yǒudiǎnr hóng.

玛丽： 有 问题 吗?
Mǎlì： Yǒu wèntí ma?

大夫： 没 什么。你 试试 表 吧。
dàifu： Méi shénme. Nǐ shìshi biǎo ba.

玛丽： 发 烧 吗?
Mǎlì： Fā shāo ma?

大夫： 三十七 度 六, 你 感冒 了。
dàifu： Sānshíqī dù liù, nǐ gǎnmào le.

玛丽： 要 打 针 吗?
Mǎlì： Yào dǎ zhēn ma?

大夫： 不用， 吃 两天 药 就会 好 的。
dàifu： Búyòng, chī liǎng tiān yào jiù huì hǎo de.

和子： 王 兰 呢? 我 一下 课 就 找 她, 找了 她
Hézǐ： Wàng Lán ne? Wǒ yí xià kè jiù zhǎo tā, zhǎole tā

两 次，都 不 在。
liǎng cì， dōu bú zài.

刘京： 她 住 院 了。
Liú Jīng： Tā zhù yuàn le.

和子： 病 了 吗?
Hézǐ： Bìngle ma?

刘京： 不 是，她 受 伤 了。
Liú Jīng： Bú shì， tā shòu shāng le.

和子： 住 哪个 医院?
Hézǐ： Zhù nǎ ge yīyuàn?

刘京： 可能 是 第三 医院。
Liú Jīng： Kěnéng shì Dì-sān Yīyuàn.

和子： 现在 情况 怎么样? 伤 得 重 吗?
Hézǐ： Xiànzài qíngkuàng zěnmeyàng? Shāng de zhòng ma?

刘京： 还 不 清楚，检查了 才能 知道。
Liú Jīng： Hái bù qīngchu， jiǎnchále cái néng zhīdào.

注释：Notes

① "王兰呢？"

"呢"的问句，在没有上下文时，是问地点的。"王兰呢"的意思是"王兰在哪儿？"

A question ending with "呢", if without any context, concerns the whereabouts of somebody or something. Therefore, "王兰呢？" means "Where is Wang Lan?"

3 替换与扩展 Substitution and Extension

▶ 替换

1. 你把<u>嘴 张开</u>。

窗户	开开	传真	发过去
冰箱	打开	文件	放好
门	锁好		

2. 我<u>找</u>了她两次，都不<u>在</u>。

问	说	请	来
给	要	约	去

3. 我一<u>下课</u>就<u>找她</u>。

到家	吃饭	放假	去旅行
关灯	睡觉	起床	去锻炼

▶ 扩展

1. 他 发了 两 天 烧， 吃 药 以后，今天 好 多了。
   Tā fāle liǎng tiān shāo, chī yào yǐhòu, jīntiān hǎo duō le.

2. 他 眼睛 做了 手术， 下 星期 可以 出 院 了。
   Tā yǎnjing zuòle shǒushù, xià xīngqī kěyǐ chū yuàn le.

4 生 词 New Words

1	开始	(动)	kāishǐ	to begin
2	把	(介)	bǎ	(preposition)
3	嘴	(名)	zuǐ	mouth
4	张	(动)	zhāng	to open
5	一…就…		yī… jiù…	no sooner...than
6	嗓子	(名)	sǎngzi	throat
7	表	(名)	biǎo	thermometer
8	发烧		fā shāo	to run a fever
9	打针		dǎ zhēn	to give an injection
10	住院		zhù yuàn	to be hospitalized
11	受	(动)	shòu	to suffer from
12	伤	(名、动)	shāng	wound; to wound
13	情况	(名)	qíngkuàng	situation
14	重	(形)	zhòng	serious
15	传真	(名)	chuánzhēn	fax
16	文件	(名)	wénjiàn	file
17	锁	(动、名)	suǒ	to lock; lock
18	灯	(名)	dēng	light
19	锻炼	(动)	duànliàn	to do physical training
20	眼睛	(名)	yǎnjing	eye

| 21 手术 | （名） | shǒushù | operation |
| 22 出院 | | chū yuàn | to leave hospital |

专名 Proper Names

| 第三医院 | Dì- sān yīyuàn | No. Three Hospital |

5 语　法 Grammar

1 "把"字句(1) The "把" sentence (1)

❶ "把"字句常常用来强调说明动作对某事物如何处置及处置的结果。在"把"字句里，介词"把"和它的宾语——被处置的事物，必须放在主语之后，动词之前，起状语的作用。例如：

"把" sentence is usually used to stress how the object of a verb is disposed of and what result is brought about. In such a sentence, the preposition "把" and its object —— the thing to be disposed of, should be inserted between the subject and the verb so as to function as an adverbial, e.g.

(1) 你把门开开。

(2) 我把信寄出去了。

(3) 小王把那本书带来了。

(4) 请你把那儿的情况介绍介绍。

❷ "把"字句有如下几个特点：

Some characteristics of the "把" sentence:

① "把"的宾语是说话人心目中已确定的。不能说"把一杯茶喝了"，只能说"把那杯茶喝了"。

The object of "把" is something definite in the mind of the speaker. Therefore, one can say "把那杯茶喝了", but not "把一杯茶喝了".

② "把" 字句的主要动词一定是及物的，并带有处置或支配的意义。没有处置意义的动词如："有"、"是"、"在"、"来"、"回"、"喜欢"、"知道" 等，不能用于 "把" 字句。

The main verb of a "把" sentence should be transitive and has a meaning of disposing or controlling something. The verbs without such a meaning, e.g. "有", "是", "在", "来", "回", "喜欢", "知道" and so on can't be used in the "把" sentence.

③ "把" 字句的动词后，必须有其他成分。比如不能说 "我把门开"，必须说 "我把门开开"。

In a "把" sentence，there must be some constituent that follows the verb. Thus, one may say "我把门开开", but not "我把门开".

2 "一……就……" The expression "一…就…"(no sooner...than...)

❶ 有时表示两件事紧接着发生。例如：

It sometimes means that two events occur in close succession, e.g.

   (1) 他一下车就看见玛丽了。

   (2) 他们一放假就都去旅行了。

❷ 有时候前一分句表示条件，后一分句表示结果。例如：

Occasionally, the first part denotes the condition while the second part expresses the result, e.g.

   (3) 他一累，就头疼。

   (4) 一下雪，路就很滑。

6 练 习 Exercises

❶ **给下面的词配上适当的结果补语** Match the following words with proper com—plements of result

关＿＿窗户   张＿＿嘴   锁＿＿门

开＿＿灯   吃＿＿饭   修＿＿自行车

洗＿＿衣服   接＿＿一个电话

2 仿照例子，把下面的句子改成"把"字句 Change the following sentences into sentences with "把" by following the model

> 例：他画好了一张画儿。→ 他把那张画儿画好了。

(1) 他打开了桌上的电脑。
(2) 我弄丢了小王的杂志。
(3) 我们布置好那个房间了。
(4) 我摔坏了刘京的手机。

3 完成对话 Complete the conversation

A：_____？
B：我刚一病就住院了。
A：_____？
B：现在还正在检查，检查了才能知道。
A：要我帮你做什么吗？
B：你下次来，_____。（把，书）
A：好。

4 会话 Make a dialogue

大夫和看病的人对话。（打球的时候，手受伤了，去医院看病。）

Between a doctor and a patient. (The patient is telling the doctor that he hurt his hand while he was playing ball and this is the reason why he has come to the hospital.)

5 听述 Listen and retell

今天小王一起床就头疼，不想吃东西。他没去上课，去医院看病了。大夫给他检查了身体，问了他这两天的生活情况。

他不发烧，嗓子也不红，不是感冒。昨天晚上他玩儿电脑，睡得很晚，睡得也不好。头疼是因为 (yīnwèi because) 睡得太少了。大夫没给他药，告诉他回去好好睡一觉就会好的。

6 语音练习 Phonetic drills

（1）常用音节练习 Drill on the frequently used syllables

zheng	zhēngqǔ	争取
	zhěngqí	整齐
	zhèngzài	正在

xi	xībiān	西边
	xǐ zǎo	洗澡
	xìxīn	细心

（2）朗读会话 Read aloud the conversation

A: Dāifu, wǒ dùzi téng.

B: Shénme shíhou kāishǐ de?

A: Jīntiān zǎoshang.

B: Zuótiān nǐ chī shénme dōngxi le? Chī tài liáng de dōngxi le ma?

A: Hēle hěn duō bīng shuǐ.

B: Kěnéng shì yīnwèi hē de tài duō le, chī diǎnr yào ba.

你好点儿了吗
ARE YOU BETTER NOW

1 句子 Sentences

253 王兰　被车　撞　伤　了。　Wang Lan was knocked down by
Wáng Lán bèi chē zhuàng shāng le.　a car.

254 带　些　水果　什么的①吧。
Dài xiē shuǐguǒ shénmede ba.
Let's bring some fruit and some
other food.

255 医院　前边　修路，汽车 到
Yīyuàn qiánbiān xiū lù, qìchē dào
The road is being repaired in front
of the hospital, so the car can't
reach its gate.

不了　医院　门口。
bu liǎo yīyuàn ménkǒu.

256 从 那儿 走着　去　很 近。
Cóng nàr zǒuzhe qù hěn jìn.
It's very close from there by walk-
ing.

257 你 好 点儿 了 吗?
Nǐ hǎo diǎnr le ma?
Are you better now?

258 看　样子，你 好 多 了。
Kàn yàngzi, nǐ hǎo duō le.
You look much better.

259 我 觉得 一天 比 一天　好。②
Wǒ juéde yì tiān bǐ yì tiān hǎo.
I am feeling better and better each
day.

260 我们 给你 带来一些吃 的。 We've brought you something
Wǒmen gěi nǐ dài lái yìxiē chī de. to eat.

2 会话 Conversation

玛丽：听 说 王兰 被 车 撞 伤 了，是 吗?
Mǎlì: Tīng shuō Wáng Lán bèi chē zhuàng shāng le, shì ma?

刘京：是的，她 住院 了。
Liú Jīng: Shì de. tā zhù yuàn le.

大卫：今天 下午 我们 去 看看 她 吧。
Dàwèi: Jīntiān xiàwǔ wǒmen qù kànkan tā ba.

玛丽：好的。 我们 带 点儿 什么 去?
Mǎlì: Hǎo de. Wǒmen dài diǎnr shénme qu?

大卫：带 些 水果 什么 的 吧。
Dàwèi: Dài xiē shuǐguǒ shénmede ba.

玛丽：好， 我们 现在 就 去 买。
Mǎlì: Hǎo, wǒmen xiànzài jiù qù mǎi.

刘京：对了，最近 医院 前边 修路，汽车 到 不了
Liú Jīng: Duìle, zuìjìn yīyuàn qiánbiān xiū lù, qìchē dào bu liǎo

医院 门口。
yīyuàn ménkǒu.

玛丽：那 怎么办?
Mǎlì: Nà zěnme bàn?

大卫：　我们　在　前一站　下车，　从　那儿　走着　去
Dàwèi：　Wǒmen zài　qián yí zhàn　xià chē,　cóng nàr　zǒuzhe qù

很　近。
hěn jìn.

2 ·····

玛丽：　王兰，　你　好　点儿　了　吗？
Mǎlì：　Wáng Lán,　nǐ　hǎo diǎnr　le　ma?

刘京：　看　样子，你　好　多　了。
Liú Jīng：　Kàn yàngzi,　nǐ　hǎo duō　le.

王兰：　我　觉得　一天　比　一天　好。
Wáng Lán：　Wǒ juéde　yì tiān　bǐ　yì tiān　hǎo.

大卫：　我们　给　你　带来　一些　吃的，保证　你　喜欢。
Dàwèi：　Wǒmen gěi nǐ dài lai　yìxiē　chī de, bǎozhèng nǐ　xǐhuan.

王兰：　谢谢　你们。
Wáng Lán：　Xièxie　nǐmen.

玛丽：　你　在　这儿　过　得　怎么样？
Mǎlì：　Nǐ　zài zhèr　guò　de　zěnmeyàng?

王兰：　眼镜　摔　坏　了，看　不　了　书。
Wáng Lán：　Yǎnjìng shuāi huài le,　kàn bu liǎo　shū.

刘京：　别　着急，给　你　带来　了　随身听。
Liú Jīng：　Bié zháojí,　gěi nǐ　dài lai　le suíshēntīng.

大卫：　你　好好　休息，下次　我们　再来　看　你。
Dàwèi：　Nǐ hǎohāo　xiūxi,　xià cì wǒmen　zài lái　kàn nǐ.

王兰: 不用 了，大夫 说 我 下 星期 就 能 出院。
Wáng Lán: Búyòng le, dàifu shuō wǒ xià xīngqī jiù néng chū yuàn.

大卫: 真的? 下 个 周末 有 舞会，我们 等 你
Dàwèi: Zhēn de? Xià ge zhōumò yǒu wǔhuì, wǒmen děng nǐ

来 跳 舞。
lái tiào wǔ.

王兰: 好，我 一定 准时 到。
Wáng Lán: Hǎo, wǒ yídìng zhǔnshí dào.

注释: Notes

① "什么的" and so on, and what not

　　用在一个成分或几个并列成分之后，表示"等等"或"……之类"的意思。如：喝点儿咖啡、雪碧什么的；洗洗衣服，做做饭什么的。不用于人或地方。

　　When "什么" takes "的" and is placed after an element or several paralell elements, it denotes "等等"(and so forth) or "…之类"(and such things). e. g. "喝点儿咖啡、雪碧什么的；洗洗衣服，做做饭什么的". It is not used for person and place.

② "我觉得一天比一天好。" I am feeling better and better each day.

　　"一天比一天"作状语，表示随着时间的推移，事物变化的程度递增或递减。也可以说"一年比一年"或"一次比一次"等。

　　"一天比一天" as an adverbial, means that things are changing for the better or worse as time goes on. One may also say "一年比一年" and "一次比一次".

3　替换与扩展　Substitution and Extension

替换

1. 王兰被车撞伤了。

树	风	刮倒	画报	孩子	弄脏
杯子	病人	摔坏	杂志	他	借走

2. 我们给你<u>带</u>来一些<u>吃的</u>。

买 胶卷	拿 糖
借 影碟	买 方便面
带 面包	借 英文小说

▶ 扩展

1. 天　很黑，看样子　要　下雨了。
　 Tiān hěn hēi, kàn yàngzi yào xià yǔ le.

2. 人民　的　生活　一年　比　一年　幸福。
　 Rénmín de shēnghuó yì nián bǐ yì nián xìngfú.

3. 那个戴　眼镜　的人　是　谁?
　 Nà ge dài yǎnjìng de rén shì shuí?

4　生　词　New Words

1	被	（介）	bèi	(used in a passive sentence to introduce the agent or doer)
2	撞	（动）	zhuàng	to knock down
3	最近	（名）	zuìjìn	recently
4	看样子		kàn yàngzi	it seems..., one looks...
5	保证	（动、名）	bǎozhèng	to ensure; ensurance
6	眼镜	（名）	yǎnjìng	glasses
7	着急	（形）	zháojí	uneasy
8	周末	（名）	zhōumò	weekend

9	准时	（形）	zhǔnshí	on time
10	画报	（名）	huàbào	pictorial
11	杂志	（名）	zázhì	magazine
12	胶卷	（名）	jiāojuǎn	film
13	糖	（名）	táng	sweets
14	什么的		shénmede	and so on
15	方便面	（名）	fāngbiànmiàn	instant noodles
16	黑	（形）	hēi	black
17	人民	（名）	rénmín	the people
18	戴	（动）	dài	to wear, to put on
19	树	（名）	shù	tree
20	倒	（动）	dǎo	to collapse
21	病人	（名）	bìngrén	patient
22	面包	（名）	miànbāo	bread

5　语　法 Grammar

1　被动句 Passive sentences

❶ 用介词"被"引出动作的施动者构成被动句。此种句子多含有不如意的意思。例如：

The passive sentence with the preposition "被" introducing the agents of the actions mostly imply unsatisactory feeling , e.g.

　　(1) 王兰被车撞伤了。　(2) 树被大风刮倒了。

❷ "被"的宾语施动者有时可笼统表示，也可不引出施动者。例如：

The agent of the object of "被" can sometimes generally indicated, or not be introduced, e.g.

(3) 自行车被人借走了。(4) 花瓶被打碎了。

❸ 介词"让","叫"引出动作的施动者(不可省略),也可构成被动句,常用于非正式场合的口语中,例如:

The preposition "让" or "叫", which can not be omitted, introducing the agent of the action may also form a passive sentens, which is often used in the informal spoken language, e. g.

(5) 窗户让风刮开了。   (6) 那张画叫小孩弄脏了。

❹ 意义上的被动 Passive in meaning

没有"被"、"让"、"叫"等介词标志。但实际意义是被动的。例如:

The sentences without the prepositions such as "被", "让" and "叫" as the markers, but are passive in the actual meaning, e. g.

(7) 眼镜摔坏了。   (8) 衣服洗干净了。

6 练 习 Exercises

❶ **熟读下列词语并造句** Read the following words and expressins carefully and make sentences with them

(1) 被
```
忘了
拿走了
弄丢了
摔坏了
```

(2)
```
苹果、橘子
电视、电影
游游泳、散散步
看看花、划划船
```
什么的

❷ **用所给词语造被动句** Make passive sentences with the given words and expressions

> 例:自行车 撞坏 → 我的自行车被汽车撞坏了。

(1) 笔   弄丢
(2) 杂志   拿走
(3) 照相机   借走
(4) 电脑   弄坏

3 把下列"把"字句改为被动句 Change the following "把" sentences into pas—
sive ones

例：我把眼镜摔坏了　→　眼镜被我摔坏了。

(1) 小妹妹把妈妈的手表弄丢了。
(2) 真糟糕，我把他的名字写错了。
(3) 他把文件包忘在出租车上了。
(4) 我正在睡觉，他把我叫起来了。
(5) 大风把小树刮倒了。

4 会话 Make a dialogue

去医院看病人。与病人一起谈话。
提示：医院生活怎么样，病(的)情(况)怎么样，要什么东西等。
You go to a hospital to visit a patient and have a chat with him (or her).
Suggested points：What is his/her life like in the hospital?How about his/her illness?
What does he/she need?

5 听述 Listen and retell

小王住院了，上星期六我们去看她。她住的病房有四张病床。有
一张是空的，三张病床都有人。我们去看她的时候，她正躺着看书呢。
看见我们，她高兴极了。她说想出院。我们劝(quàn　persuade)她不要着
急，出院后我们帮她补(bǔ　to mend)英语，想吃什么就给她送去。她很
高兴，不再说出院的事了。

6 语音练习 Phonetic drills

(1) 常用音节练习 Drill on the frequently used syllables

ba	bā ge	八个	fa	chūfā	出发
	bàba	爸爸		fāngfǎ	方法
	zǒu ba	走吧		lǐ fà	理发

（2）朗读会话 Read aloud the conversation

A: Qǐng wèn, Wáng Lán zhù zài jǐ hào bìngfáng?

B: Tā zài wǔ hào yī chuáng, kěshì jīntiān bù néng kàn bìngrén.

A: Wǒ yǒu diǎnr jí shì, ràng wǒ jìn qu ba.

B: Shénme shì?

A: Tā xiǎng chī bīngqílín, xiànzài bú sòng qu, jiù děi hē bīng shuǐ le.

B: Méi guānxi, wǒ kěyǐ gěi tā fàng zài bīngxiāng li.

一、会话 Conversation

A: 你去过四川（Sìchuān Sichuan Province）吗? 看过乐山大佛（Lèshān Dàfó the Giant Buddha at Leshan）吗?

B: 我去过四川，可是没看过乐山大佛。

A: 没看过? 那你一定要去看看这尊（zūn a measure word）有名的大佛!

B: 乐山大佛有多大?

A: 他坐着从头到脚（jiǎo foot）就有71米（mǐ metre）。他的头有14米长，耳朵（ěrduo ear）7米长。

B: 啊，真大啊! 那他的脚一定更大了。

A: 那当然。大佛的脚有多大，我记不清楚了。不过可以这样说，他的一只脚上可以停五辆大汽车。

B: 真了不起（liǎobuqǐ extraordinary）! 这尊大佛是什么时候修建（xiūjiàn to build）的?

A: 唐代（Táng Dài Tang Dynasty）就修建了，大佛在那儿已经坐了一千（qiān thousand）多年了。你看，这些照片都是在那儿照的。

B: 照得不错。那儿的风景也很美。你是什么时候去的?

A: 2002年9月坐船去的。我还想再去一次呢。

B: 听了你的介绍，我一定去看看大佛。要是你有时间，我们一起去，就可以请你当导游了。

A: 没问题。

二、语法 Grammar

（一）几种补语 Several kinds of complements

1 程度补语 The complement of degree

程度补语一般由形容词充任，动词短语、副词等也可作程度补语。大部分程度补语必须

带 "得"，也有一类不带 "得" 的。例如：

A complement of degree is usually made up of an adjective. But a verb phrase or an adverb can also be used as a complement of degree. Most complements of degree must be preceded by "得", with only one exception, e.g.

(1) 老师说得很慢。　　(2) 他高兴得不知道说什么好。

(3) 这儿比那儿冷得多。(4) 那只小狗可爱极了。(不带"得"的程度补语)

② 结果补语 The complement of result

(1) 你看见和子了吗?　　(2) 你慢点儿说，我能听懂。

(3) 玛丽住在九楼。　　　(4) 我把啤酒放在冰箱里了。

③ 趋向补语 The directional complement

(1) 王老师从楼上下来了。　　(2) 玛丽进大厅去了。

(3) 他买回来很多水果。　　　(4) 那个包你放进衣柜里去吧。

④ 可能补语 The potential complement

结果补语、简单或复合趋向补语前加 "得" 或 "不"，都可构成可能补语。例如：

Either a complement of result, or a simple or complex directional complement, if preceded by "得" or "不", can constitute a potential complement, e.g.

(1) 练习不太多，今天晚上我做得完。

(2) 我听不懂你说的话。

(3) 现在去长城，下午两点回得来回不来?

(4) 衣柜很小，这个包放不进去。

⑤ 数量补语 The complement of quantity

(1) 姐姐比妹妹大三岁。　　　(2) 大卫比我高一点儿。

(3) 那本词典比这本便宜两块多钱。

⑥ 动量补语 The complement of frequency

(1) 来北京以后，他只去过一次动物园。

(2) 我去找了他两次。

⑦ 时量补语 The complement of duration

(1) 我们休息了二十分钟。 (2) 他只学了半年汉语。
(3) 大卫作练习作了一个小时。 (4) 小王已经毕业两年了。

（二）结构助词"的"、"得"、"地" The structural particles "的"、"得" and "地"

❶ "的"用在定语和中心语之间。例如：
　 "的" is used between an attributive and a headword, e.g.

(1) 穿白衣服的同学是他的朋友。(2) 那儿有个很大的商店。

❷ "得"用在动词、形容词和补语之间。例如：
　 "得" is put between a verbal or adjectival predicate and a complement, e.g.

(1) 我的朋友在北京过得很愉快。
(2) 这些东西你拿得了拿不了？

❸ "地"用在状语和动词之间。例如：
　 "地" is inserted between an adverbial adjunct and a verbal predicate, e.g.

(1) 小刘高兴地说："我今天收到三封信。"
(2) 中国朋友热情地欢迎我们。

三、练习 Exercise

❶ 按照实际情况说话 Talk about the following topics according to real situations

(1) 说说你的宿舍是怎么布置的?（用上"着"）
(2) 说说你一天的生活。（用上趋向补语"来""去"）
(3) 介绍一次旅游的情况。（买票 找旅馆 参观 游览）

❷ 会话 Conversationas

(1) 旅游 Travel

① 买票 Buy a ticket

到……的票还有吗？　　　　　　　要……次的？

预订……张…… (时间) 的票。　　　几点开(起飞)？

要硬卧 (软卧)。　　　　　　　　　坐……要坐多长时间？

② 旅馆 Hotel

有空房间吗？　　　　　　　　　　住一天多少钱？

几个人一个房间？　　　　　　　　餐厅(舞厅、咖啡厅……)在哪儿？

有洗澡间吗？

③ 参观游览 Visit places of interest

这儿的风景……　　　　　　　　　顺便到……

有什么名胜古迹？　　　　　　　　跟……一起……

先去……再去……　　　　　　　　当导游

(2) 看病 See a doctor

你怎么了？　　　　　　　　　　　我不舒服

试试表吧。　　　　　　　　　　　头疼

发烧……度。　　　　　　　　　　嗓子疼

感冒了。　　　　　　　　　　　　咳嗽

吃点儿药。　　　　　　　　　　　什么病？

一天吃……次。

一天打……针。

住(出)院吧。

(3) 探望 See a patient

什么时候能看病人？　　　　　　　谢谢你……来看我。

给他买点儿什么？　　　　　　　　(你们) 太客气了。

你好点儿了吗？　　　　　　　　　现在好多了。

看样子你……

别着急，好好休息。

你要什么吗?

医院的生活怎么样?

什么时候出院?

❸ 完成对话 Complete the conversation

A：玛丽，天津离北京这么近。星期四我们去玩儿玩儿吧。

B：好，我们可以让＿＿＿＿＿＿。

A：不行，小刘病了。

B：＿＿＿＿＿＿＿＿＿?

A：她发烧、咳嗽。

B：＿＿＿＿＿＿＿＿＿? 我怎么不知道。

A：昨天晚上开始的。

B：＿＿＿＿＿＿＿＿＿，我们自己去不方便。

A：也好，等小刘好了再去吧。

❹ 语音练习 Phonetic drills

（1）声调练习：第一声+第三声 Drill on tones：1st tone+3nd tone

Yāoqǐng　邀请

Yāoqǐng qīnyǒu　邀请亲友

Yāoqǐng qīnyǒu hē jiǔ　邀请亲友喝酒

（2）朗读会话 Read aloud the conversation

A: Dàifu，wǒ sǎngzi téng.

B: Yǒudiànr hóng，yào duō hē shuǐ.

A: Wǒ hē de bù shǎo.

B: Bié chī de tài xián.

A: Wǒ zhīdào.

B: Xiànzài nǐ qù ná yào，yàoshi bù hǎo，zài lái kàn.

A: Hǎo，xièxie. Zàijiàn!

36

我要回国了

I'LL RETURN HOME

1 句子 Sentences

261 好 久 不 见 了。
Hǎo jiǔ bú jiàn le.
I haven't seen you for ages.

262 你 今天 怎么 有空儿
Nǐ jīntiān zěnme yǒu kòngr
What brings you here today?

来 了?
lái le?

263 我 来 向 你 告别。
Wǒ lái xiàng nǐ gào bié.
I've come to say good-bye to you.

264 我 常来 打扰 你， 很
Wǒ cháng lái dǎrǎo nǐ, hěn
I am sorry to trouble you so often.

过 意 不 去。
guò yì bú qù.

265 你 那么 忙， 不用 送
Nǐ nàme máng, búyòng sòng
Don't bother to see me off. You are so busy.

我 了。
wǒ le.

266 我 一边 学习，一边 工作。   I study while I work.
Wǒ yìbiān xuéxí, yìbiān gōngzuò.

267 朋友们 有的 知道， 有的   Some friends know this, but
Péngyoumen yǒude zhīdào, yǒude others don't.

不 知道。
bù zhīdào.

268 趁 这 两 天 有空儿，我   I'll go and say good-bye to them,
Chèn zhè liǎng tiān yǒu kòngr, wǒ as I am free in the next few days.

去 向 他们 告别。
qù xiàng tāmen gào bié.

2   会话   Conversation

玛丽： 你好， 王 先 生！
Mǎlì： Nǐ hǎo, Wáng xiānsheng!

王： 玛丽 小姐，好久 不见 了。今天 怎么 有空儿
Wáng： Mǎlì xiǎojie, hǎo jiǔ bú jiàn le. Jīntiān zěnme yǒu kòngr

来 了？
lái le?

玛丽： 我 来 向 你 告别。
Mǎlì： Wǒ lái xiàng nǐ gào bié.

王： 你 要 去 哪儿?
Wáng： Nǐ yào qù nǎr?

玛丽： 我 要 回国 了。
Mǎlì： Wǒ yào huí guó le.

王： 日子 过 得 真快, 你 来 北京 已经 一年 了。
Wáng： Rìzi guò de zhēn kuài, nǐ lái Běijīng yǐjing yì nián le.

玛丽： 常 来 打扰 你, 很 过意 不去。
Mǎlì： Cháng lái dǎrǎo nǐ, hěn guò yì bú qù.

王： 哪儿的 话①, 因为 忙, 对 你 的 照顾 很 不够。
Wáng： Nǎr de huà, yīnwèi máng, duì nǐ de zhàogù hěn bú gòu.

玛丽： 你 太 客气 了。
Mǎlì： Nǐ tài kèqi le.

王： 哪 天 走? 我 去 送 你。
Wáng： Nǎ tiān zǒu? Wǒ qù sòng nǐ.

玛丽： 你 那么 忙, 不用 送 了。
Mǎlì： Nǐ nàme máng, búyòng sòng le.

2.....

刘京： 这 次 回国， 你 准备 工作 还是 继续 学习？
Liú Jīng： Zhè cì huí guó, nǐ zhǔnbèi gōngzuò háishi jìxù xuéxí?

大卫： 我 打算 考 研究生， 一边 学习，一边 工作。
Dàwèi： Wǒ dǎsuan kǎo yánjiūshēng, yìbiān xuéxí, yìbiān gōngzuò.

刘京： 那 很 辛苦 啊。
Liú Jīng： Nà hěn xīnkǔ a.

大卫： 没 什么， 我们 那儿 很 多 人 都 这样。
Dàwèi： Méi shénme, wǒmen nàr hěn duō rén dōu zhèyàng.

刘京： 你 要 回国 的 事，朋友们 都 知道 了 吗？
Liú Jīng： Nǐ yào huí guó de shì, péngyoumen dōu zhīdào le ma?

大卫： 有的 知道，有的 不 知道。 趁 这 两 天
Dàwèi： Yǒude zhīdào, yǒude bù zhīdào. Chèn zhè liǎng tiān

有空儿，我 去 向 他们 告 别。
yǒu kòngr, wǒ qù xiàng tāmen gào bié.

注释：Notes

① "哪儿的话。"

用在答话里表示否定的客气话。一般用在对方表示自谦或抱歉时。

"哪儿的话" has a negative connotation and is a common polite reply to somebody's self-abasement or sorriness.

3 替换与扩展 Substitution and Extension

▶ **替换**

1. <u>你</u> <u>来北京</u>已经<u>一年</u>了。

他	离开上海	两年
我	起床	一刻钟
小王	去欧洲	三个月

2. 一边<u>学习</u>，一边<u>工作</u>。

| 看电视 | 谈话 | 跳舞 | 唱歌 |
| 喝茶 | 讨论 | 散步 | 聊天 |

3. <u>朋友</u>们有的<u>知道</u>，
   有的<u>不知道</u>。

| 同学 | 来 | 不来 |
| 老师 | 参加 | 不参加 |

▶ **扩展**

1. 这　两天　我得去办各种　手续，　没时间
   Zhè liǎng tiān wǒ děi qù bàn gè zhǒng shǒuxù, méi shíjiān

   去向　你告别　了。请　原谅。
   qù xiàng nǐ gào bié le. Qǐng yuánliàng.

2. 有　几位老朋友　好久不见了，趁　出
   Yǒu jǐ wèi lǎo péngyou hǎo jiǔ bú jiàn le, chèn chū

   差　的机会去看看　他们。
   chāi de jīhuì qù kànkan tāmen.

4 生 词 New Words

1	向	（介）	xiàng	to, towards
2	告别		gào bié	to depart, to say good-bye
3	打扰	（动）	dǎrǎo	to trouble, to bother
4	过意不去		guò yì bú qù	to be sorry
5	那么	（代）	nàme	in this way, like that
6	一边…		yìbiān...	at the same time
	一边…		yìbiān...	
7	们	（尾）	men	(plural suffix)
8	趁	（动）	chèn	to take the advantage of
9	日子	（名）	rìzi	time, days
10	已经	（副）	yǐjing	already
11	因为	（连）	yīnwèi	because
12	照顾	（动）	zhàogù	to take care of
13	够	（动）	gòu	to be enough
14	准备	（动）	zhǔnbèi	to prepare
15	继续	（动）	jìxù	to continue
16	打算	（动、名）	dǎsuan	to plan, to want; intention
17	研究生	（名）	yánjiūshēng	post-graduate
18	离开		lí kāi	to leave
19	聊天（儿）		liáo tiān(r)	to chat

| 20 老 | (形) | lǎo | old, veteran |
| 21 机会 | (名) | jīhuì | chance, opportunity |

专名　Proper Names

欧洲　　　　Ōuzhōu　　　　Europe

5 　　　　　　　　　　　语　法　Grammar

1 时量补语(3)　The complement of duration(3)

　　有些动词，如"来"、"去"、"到"、"下(课)"、"离开"等加时量补语，不是表示动作的持续，而是表示从发生到某时(或说话时)的一段时间。动词后有宾语时，时量补语要放在宾语之后。例如：

Some actions, e.g. "来", "去", "到", "下(课)", "离开", are not durational. If one wants to indicate the period from the time an action occurs to a later specific point time (or time of speaking), one may use a complement of duration. When an object follows a verb, the complement of duration is put after the object, e.g.

(1) 他来北京一年了。　　　(2) 下课十五分钟了。

2 "有的……有的……"　The expression "有的…有的…"(some...and the others...)

　　❶代词"有的"作定语时，常指它所修饰的名词的一部分，可以单用，也可以两三个连用。例如：

When "有的" is used as an attributive, it modifies the noun, usually referring to some of the entities denoted by that noun. It can occur once, twice or thrice in a sentence, e.g.

(1) 有的话我没听懂。

(2) 我们班有的同学喜欢看电影，有的(同学)喜欢听音乐、有的(同学)喜欢看小说。

② 如果所修饰的名词前面已出现过，也可以省略。例如：

If the noun it modifies has appeared before, it can be omitted, e.g.

(3) 他的书很多，有的是中文的，有的是英文的。

6　　　练 习 Exercises

1 熟读下列词组并造句 Read until fluent the following phrases and make sentences

(1) 趁
- 放假的时候
- 天气好
- 这几天不忙

(2) 向
- 他告别
- 小王学习
- 前看

(3) 好
- 多
- 几个星期
- 累

(4) 准备
- 回国
- 结婚
- 得怎么样了
- 生日礼物

(5) 已经
- 毕业了
- 出院了
- 修好了
- 十二点了

2 选择适当的词语完成句子 Complete the sentences with proper words and phrases

有的　继续　撞　老　出差　够

(1) 你的病还没好，应该_____。

(2) 买两本书得十五块钱，我带的_____，买一本吧。

(3) 他已经五十岁了，可是看样子_____。

(4) 他_____，很少在家。

(5) 那棵小树昨天被汽车_____。

(6) 我有很多中国朋友_____。

3 给词语选择适当的位置 Insert the given words into the following setences at the suitable places

（1）李成日A离开B北京C了。（一年）
（2）他A去B医院C了。（两个半小时）
（3）他A大学B毕业C了。（两年）
（4）他A已经B起床C了。（半个小时）
（5）他们A结B婚C了。（十多年）

④ **按照实际情况回答问题** Answer the questions according to actual situations

（1）你来北京多长时间了？
（2）你什么时候中学毕业的？ 毕业多长时间了？
（3）你现在穿的这件衣服，买了多长时间了？
（4）你离开你们的国家多长时间了？

⑤ **完成对话** Complete the conversation

A：小王，我要回国了。
B：_____？
A：二十号晚上走。
B：_____？
A：准备得差不多了。
B：_____？
A：不用帮忙，我自己可以。
B：_____。
A：你很忙，不用送我了。

⑥ **会话** Talk about the following topic

你来中国的时候向朋友告别。
提示：朋友问你学什么，学习多长时间；你问他们有没有要办的事
等。

You bid farewell to your friends when you left for China.

Suggested points: Your friends asked what you would study and how long you
would study . You asked what you could do for them.

7 **听述** Listen and retell

　　明天我要去旅行。这次去的时间比较长，得去向朋友告别一下，可是老张住院了。

　　在北京的这些日子里，老张像家里人一样照顾我，我也常去打扰他，我觉得很过意不去。今天不能去跟他告别，我就给他写一封信去，问他好吧。希望（xīwàng　to hope）我回来的时候他已经出院了。

8 **语音练习** Phonetic drills

（1）常用音节练习 Drill on the frequently used syllables

fu	fūren	夫人	jing	jǐngchá	警察
	fùqin	父亲		ānjìng	安静
	dàifu	大夫		yǐjing	已经

（2）朗读会话 Read aloud the conversation

A: Wáng Lán, wǒ xiàng nǐ gào bié lai le.

B: Zhēn qiǎo, wǒ zhèng yào qù kàn nǐ ne. Qǐng jìn.

A: Nǐ nàme máng, hái chángcháng zhàogù wǒ, wǒ fēicháng gǎnxiè.

B: Nǎr de huà, zhàogù de hěn bú gòu.

真舍不得你们走
WE ARE SORRY TO LET YOU GO

1

句子 Sentences

269 回 国 的 日子 越来越
Huí guó de rìzi yuèláiyuè

近 了。
jìn le.

The day of returning home is drawing near.

270 虽然 时间 不 长， 但是
Suīrán shíjiān bù cháng, dànshì

我们 的 友谊 很 深。
wǒmen de yǒuyì hěn shēn.

We haven't stayed together for long, but we have already built up profound friendship.

271 我们 把 通讯 地址 都
Wǒmen bǎ tōngxùn dìzhǐ dōu

留 在 本子 上 了。
liú zài běnzi shang le.

We've already written down the address in our notebooks.

272 让 我们 一起 照 张
Ràng wǒmen yìqǐ zhào zhāng

相 吧!
xiàng ba!

Let's have a photo taken together.

273 除了 去 实习 的 以外，
Chúle qù shíxí de yǐwài,

都 来 了。
dōu lái le.

Except for those who have gone to do field practice, everybody is here.

274 你用 汉语唱 个 歌 吧。
Nǐ yòng Hànyǔ chàng ge gē ba.

Please sing us a Chinese song.

275 我唱 完 就 该 你们 了。
Wǒ chàng wán jiù gāi nǐmen le.

It will be your turn after I have finished singing.

276 真 不 知道 说 什么 好。
Zhēn bù zhīdào shuō shénme hǎo.

I really don't know what to say.

2 会话 Conversation

和子： 回 国 的 日子 越来越 近 了。
Hézǐ： Huí guó de rìzi yuèláiyuè jìn le.

王兰： 真 舍不得 你们 走。
Wáng Lán： Zhēn shěbudé nǐmen zǒu.

大卫： 是 啊，虽然 时间 不长， 但是 我们 的 友谊
Dàwèi： Shì a, suīrán shíjiān bù cháng, dànshì wǒmen de yǒuyì

很 深。
hěn shēn.

玛丽：　我们　把通讯　地址都留在本子上了，以后
Mǎlì：　Wǒmen　bǎ tōngxùn dìzhǐ dōu liú zài běnzi shàng le, yǐhòu

常　联系。
cháng liánxì.

刘京：　我　想　你们　还是　有机会来　的。
Liú Jīng：　Wǒ xiǎng nǐmen　háishi　yǒu jīhuì　lái de.

和子：　要是　来北京，一定　来看　你们。
Hézǐ：　Yàoshi lái Běijīng, yídìng lái kàn nǐmen.

大卫：　让　我们　一起照　张　相　吧!
Dàwèi：　Ràng wǒmen　yìqǐ zhào zhāng xiàng ba!

玛丽：　好，多照几张，留作纪念。
Mǎlì：　Hǎo, duō zhào jǐ zhāng, liú zuò jìniàn.

玛丽：　参加　欢送会　的人真　多。
Mǎlì：　Cānjiā huānsònghuì de rén zhēn duō.

刘京：　除了去实习的以外，都来了。
Liú Jīng：　Chúle qù shíxí de yǐwài, dōu lái le.

和子：　开始　演　节目　了。
Hézǐ：　Kāishǐ　yǎn　jiémù　le.

大卫：　玛丽，你用　汉语　唱　个　歌　吧。
Dàwèi：　Mǎlì，　nǐ　yòng　Hànyǔ　chàng　ge　gē　ba.

玛丽：　我　唱　完　就　该　你们　了。
Mǎlì：　Wǒ　chàng　wán　jiù　gāi　nǐmen　le.

王兰：　各班　的　节目　很　多，很　精彩。
Wáng Lán：　Gè　bān　de　jiémù　hěn　duō，hěn　jīngcǎi.

和子：　同学　和老师　这么　热情　地　欢送　我们，
Hézǐ：　Tóngxué　hé　lǎoshī　zhème　rèqíng　de　huānsòng　wǒmen，

　　真　不　知道　说　什么　好。
　　zhēn　bù　zhīdào　shuō　shénme　hǎo.

刘京：　祝贺　你们　取得了　好　成绩。
Liú Jīng：　Zhùhè　nǐmen　qǔdéle　hǎo　chéngjì.

王兰：　祝　你们　更　快　地　提高　中文　水平。
Wáng Lán：　Zhù　nǐmen　gèng　kuài　de　tígāo　Zhōngwén　shuǐpíng.

3 替换与扩展 Substitution and Extension

▶ 替换

1. 回国的日子越来越近了。		
	他的发音	好
	旅游的人	多
	他的技术水平	高
	北京的天气	暖和

2. 虽然时间不长, 但是我们的友谊很深。		
	年纪很大	身体很好
	路比较远	交通比较方便
	学习的时间很短	提高得很快

3. 我们把通讯地址都留在本子上了。		
	字	写	黑板上
	自行车	放	礼堂右边
	地图	挂	墙上
	通知	贴	黑板左边

▶ 扩展

1. 他 除了 英语 以外, 别的 语言 都 不 会。
Tā chúle Yīngyǔ yǐwài, biéde yǔyán dōu bú huì.

2. 这 次 篮球 赛 非常 精彩, 你 没 去 看, 真 可惜。
Zhè cì lánqiú sài fēicháng jīngcǎi, nǐ méi qù kàn, zhēn kěxī.

4

生 词 New Words

1	越来越…		yuèláiyuè…	more and more
2	虽然…		suīrán…	though
	但是…		dànshì…	
3	深	(形)	shēn	deep, profound
4	通讯	(名)	tōngxùn	communication
5	地址	(名)	dìzhǐ	address
6	实习	(动)	shíxí	to do field practice, to practise
7	节目	(名)	jiémù	program
8	该	(能愿)	gāi	should, must
9	舍不得		shěbudé	to hate to part with…
10	留	(动)	liú	to stay
11	欢送会		huānsònghuì	farewell party
12	精彩	(形)	jīngcǎi	excellent, brilliant
13	热情	(形)	rèqíng	enthusiastic, warm
14	欢送	(动)	huānsòng	to send off, to see off
15	取得	(动)	qǔdé	to achieve
16	旅游	(动)	lǚyóu	to travel
17	年纪	(名)	niánjì	age
18	水平	(名)	shuǐpíng	level
19	黑板	(名)	hēibǎn	blackboard

20	右边	（名）	yòubiān	the right side
21	墙	（名）	qiáng	wall
22	贴	（动）	tiē	to stick, to paste, to put up
23	左边	（名）	zuǒbiān	the left side

5 语 法 Grammar

1 "虽然……但是……"复句 The complex sentence with "虽然…但是…"

关联词"虽然"和"但是（可是）"可以构成表示转折关系的复句。"虽然"放在第一分句的主语前或主语后，"但是"（或用"可是"）放在第二分句句首。例如：

The conjunctions "虽然" and "但是"（or "可是"）may be used to form a complex sentence denoting a transitional relationship. "虽然" is put before or after the subject in the first clause, while "但是"（or "可是"）is placed at the beginning of the second clause, e.g.

　　(1) 虽然下雪，但是天气不太冷。

　　(2) 今天我虽然很累，但是玩儿得很高兴。

　　(3) 虽然他没来过北京，可是对北京的情况知道得很多。

2 "把"字句(2) The "把" sentence (2)

❶ 如果要说明受处置的事物或人通过动作处于某处时，必须用"把"字句。例如：

The "把" sentence is used if one wants to show that a thing or a person which is disposed through the action denoted by the verb has reached a certain place, e.g.

　　(1) 我们把通讯地址留在本子上了。

　　(2) 我把啤酒放进冰箱里了。

　　(3) 他把汽车开到学校门口了。

❷ 说明受处置的事物通过动作交给某一对象时，在一定条件下也要用"把"字句。例如：

In some circumstances, the "把" sentence should also be used if one wants to show the change of hands of something from one person to another, e.g.

(4) 我把钱交给那个售货员了。

(5) 把这些饺子留给大卫吃。

6 　　　　　　　　　　　　　　　　　　练 习 Exercises

1 选词填空 Fill in the blanks with the words given

| 舍不得 　精彩 　该 　机会 　留 　热情 |

(1) 昨天的游泳比赛很 _____，运动员的水平很高。

(2) 离上课的时间不多了，我们_____进教室去了。

(3) 来中国学习是很好的_____，我一定好好学习。

(4) 我的通讯地址给你_____了吧?

(5) 那个饭店的服务员很_____。

(6) 这块蛋糕她_____吃，因为妹妹喜欢吃，她要留给妹妹。

2 仿照例子，用"越来越……"改写句子 Rewrite the following sentences with "越来越…" by following the model

例: 刚才雪很大, 现在更大。→ 雪越来越大了。或: 雪下得越来越大了。

(1) 冬天快过去了，天气慢慢地暖和了。

(2) 他的汉语比刚来的时候好了。

(3) 张老师的小女儿一年比一年漂亮。

(4) 参加欢送会的人比刚开始的时候多了。

(5) 大家讨论以后，这个问题比以前清楚了。

3 用所给的词语造"把"字句 Make sentences with "把" by using the words given

例：汽车 停 九楼前边 → 他把汽车停在九楼前边了。

(1) 名字　　写　　本子上
(2) 词典　　放　　桌子上
(3) 钱包　　忘　　家里
(4) 衬衫　　挂　　衣柜里

④ **完成对话** Complete the conversation

A：小张，你这次去法国留学，祝你顺利！
B：祝你学习＿＿＿＿＿＿＿＿！
张：谢谢你们，为＿＿＿＿干杯！
A：＿＿＿＿＿＿＿＿＿＿＿＿。
张：我一到那儿就给你们打电话。
B：＿＿＿＿＿＿＿＿＿。
张：我一定注意身体。谢谢！

⑤ **说话** Talk about the following topic

说说开茶话会欢送朋友回国的情况。
提示：一边喝茶一边谈话，你对朋友说些什么，朋友说些什么。
Say something about the tea party held to give a send-off to your friend going back to his country.
Suggested points： You had a chat over a cup of tea. What did you say to your friend?
What did he say to you in return?

⑥ **听述** Listen and retell

　　我在这儿学了三个月汉语，下星期一要回国了。虽然我在中国的时间不长，可是认识了不少中国朋友和别的国家的朋友。我们的友谊越来越深。我真舍不得离开他们。要是以后有机会，我一定再来中国。

7 语音练习 Phonetic drills

（1）常用音节练习 Drill on the frequently used syllables

yuan	yuánlái	原来		yan	chōu yān	抽烟
	yǒngyuǎn	永远			yánjiū	研究
	yuànyì	愿意			yǎnjìng	眼镜

（2）朗读会话 Read aloud the conversation

A: Míngtiān wǒmen gěi Lǐ Hóng kāi ge huānsònghuì ba.

B: Duì, tā chū guó shíjiān bǐjiào cháng.

C: Děi zhǔnbèi yìxiē shuǐguǒ hé lěngyǐn.

A: Bié wàngle zhào xiàng.

B: Yě bié wàngle liú tā de tōngxùn dìzhǐ.

这儿托运行李吗

IS THIS THE PLACE FOR CHECKING LUGGAGE

1

句子　Sentences

277 我 打听 一下儿，这儿
Wǒ dǎting yíxiàr, zhèr

托运 行李 吗?
tuōyùn xíngli ma?

Can you tell me if we can check
our luggage here?

278 邮局 寄 不但 太 贵，
Yóujú jì búdàn tài guì,

而且 这么 大 的 行李
érqiě zhème dà de xíngli

也 不能 寄。
yě bù néng jì.

It is not only too expensive to send it
by post, but also not possible to
send such a big piece of luggage.

279 我 记 不 清楚 了。
Wǒ jì bu qīngchu le.

I can't remember it clearly.

280 我 想 起来 了①。
Wǒ xiǎng qǐ lai le.

Now I can remember it.

281 运 费 怎么 算?
Yùn fèi zěnme suàn?

How do you calculate the cost of
transportation?

282 按照 这个价目表 收费。
Ànzhào zhè ge jiàmùbiǎo shōu fèi.

You should pay according to this price list.

283 你 可以 把 东西 运来。
Nǐ kěyǐ bǎ dōngxi yùn lai.

You may bring your luggage here.

284 我 的 行李 很 大，一 个
Wǒ de xíngli hěn dà, yí ge

My luggage is so big that I can't carry it myself.

人 搬 不 动。
rén bān bú dòng.

2  会话 Conversation

刘京： 你 这么 多 行李，坐 飞机 的 话，一定 超重。
Liú Jīng : Nǐ zhème duō xíngli, zuò fēijī de huà, yídìng chāo zhòng.

和子： 那 怎么办？
Hézǐ : Nà zěnme bàn?

王兰： 邮局 寄 不但 太贵，而且 这么 大 的 行李
Wáng Lán : Yóujú jì búdàn tài guì, érqiě zhème dà de xíngli

也 不 能 寄。
yě bù néng jì.

刘京： 可以 海运。
Liú Jīng： Kěyǐ hǎiyùn.

和子： 海运 要 多 长 时间？
Hézǐ： Hǎiyùn yào duō cháng shíjiān?

刘京： 我 记 不 清楚 了，我们 可以 去 托运 公司
Liú Jīng： Wǒ jì bu qīngchǔ le, wǒmen kěyǐ qù tuōyùn gōngsī

问问。
wènwen.

王兰： 啊，我 想 起来 了，去年 李成日 也 托运过。
Wáng Lán： À, wǒ xiǎng qǐlai le, qùnián Lǐ Chéngrì yě tuōyùnguo.

和子： 那 好，明天 我 去 问 一下儿。
Hézǐ： Nà hǎo, míngtiān wǒ qù wèn yíxiàr.

2 . . . . .

和子： 我 打听 一下儿，这儿 托运 行李 吗？
Hézǐ： Wǒ dǎting yíxiàr, zhèr tuōyùn xíngli ma?

服务员： 托运。你 要 运到 哪儿？
fúwùyuán： Tuōyùn. Nǐ yào yùn dào nǎr?

和子： 日本。要 多 长 时间？
Hézǐ： Rìběn. Yào duō cháng shíjiān?

服务员： 大概 一个 多 月。
fúwùyuán： Dàgài yí ge duō yuè.

和子:　运费　怎么算?
Hézǐ:　Yùn fèi　zěnme suàn?

服务员:　按照　这个价目表　收费。你可以把东西 运来。
fúwùyuán:　Ànzhào zhè ge jiàmùbiǎo shōu fèi. Nǐ kěyǐ bǎ dōngxi yùn lai.

和子:　我 的 行李 很大，一个人 搬 不 动。
Hézǐ:　Wǒ de xíngli hěn dà, yí ge rén bān bu dòng.

服务员:　没 关系，为了 方便 顾客，我们 也 可以
fúwùyuán:　Méi guānxi, wèile fāngbiàn gùkè, wǒmen yě kěyǐ

去取。
qù qǔ.

和子:　那 太 麻烦 你们 了。
Hézǐ:　Nà tài máfan nǐmen le.

注释: Notes

① "我想起来了."
遗忘的事通过回忆而在脑子中浮现出来。
It means " to call something to memory ".

3　替换与扩展　Substitution and Extension

替换

1. <u>坐飞机</u>的话，<u>你的</u>
<u>行李</u>一定<u>超重</u>。

上高速公路	你们	要注意安全
坐软卧	我们	觉得很舒服
寄包裹	你	要包好
放假	他们	去旅行

2. 我<u>记</u>不<u>清楚</u>了。

做	完	洗	干净
搬	动	去	了

3. 你可以把<u>东西</u> <u>运来</u>。

王大夫	请来
这个包	带去
修好的手表	取来

扩展

1. 一 个 月 的 水费、电费、房费 不 少。
Yí ge yuè de shuǐfèi、diànfèi、fángfèi bù shǎo.

2. 我 想 起 来 了, 这 个 人 是 成日, 以前 我
Wǒ xiǎng qǐ lai le, zhè ge rén shì Chéngrì, yǐqián wǒ

在 国际 交流 中心 见过 他。
zài Guójì Jiāoliú Zhōngxīn jiànguo tā.

3. 我 打听 一下儿, 星期六 大使馆 办 公 不
Wǒ dǎting yíxiàr, xīngqīliù dàshǐguǎn bàn gōng bú

办 公?
bàn gōng?

4

生 词 New Words

1	打听	(动)	dǎting	to inquire about
2	托运	(动)	tuōyùn	to consign for transportation
3	不但…		búdàn…	not only...
	而且…		érqiě…	but also...
4	运	(动)	yùn	transportation
5	算	(动)	suàn	to calculate
6	按照	(介)	ànzhào	by, according to
7	价目表		jiàmùbiǎo	price list
8	搬	(动)	bān	to remove, to move, to carry
9	动	(动)	dòng	to move
10	的话	(助)	dehuà	(modal particle)
11	超重		chāo zhòng	overweight
12	海运	(动)	hǎiyùn	sea transportation
13	为了	(介)	wèile	for, in order to
14	顾客	(名)	gùkè	customer, shopper, patron
15	取	(动)	qǔ	to get, to claim
16	高速公路		gāosù gōnglù	expressway
17	包裹	(名)	bāoguǒ	parcel
18	国际	(名)	guójì	international
19	交流	(动)	jiāoliú	exchange

| 20 | 大使馆 | （名） | dàshǐguǎn | embassy |
| 21 | 办公 | | bàn gōng | to handle official business |

5 语 法 Grammar

1 "不但……而且……"复句 The complex sentence with "不但…而且…"

"不但……而且……"表示递进关系。两个复句的主语相同，"不但"放在第一分句的主语之后，如果两个分句的主语不同，"不但"放在第一分句的主语之前。例如：

"不但…而且…" indicates a further development in meaning in the second clause from what is stated in the first one. If the two clauses have the same subject, "不但" is put after the subject of the first clause; if they have different subjects, "不但" is put before the subject of the first clause, e.g.

(1) 他不但是我的老师，而且也是我的朋友。

(2) 这个行李不但大，而且很重。

(3) 不但他会英语，而且小王和小李也会英语。

2 "动"作可能补语 The verb "动" as a potential complement

动词"动"作可能补语，表示有力量做某事。例如：

The verb "动" as a potential complement denotes that one is capable of doing something, e.g.

(1) 这只箱子不重，我拿得动。

(2) 走了很多路，我现在走不动了。

(3) 这个行李太重了，一个人搬不动。

3 能愿动词在"把"字句中的位置 The position of modal verbs in the "把" sentence

能愿动词都在介词"把"的前边。例如：

As a rule，modal verbs precede the preposition "把"，e.g.

(1) 我可以把照相机带来。

(2) 晚上有大风，应该把窗户关好。

6　　　　　　　　　　　　　　　　　练　习　Exercises

1 用动词加可能补语填空 Fill in the blanks with the appropriate verbs and their complements

(1) 天太黑，我_____黑板上的字。

(2) 这张桌子很重，我一个人_____。

(3) 我的中文水平不高，还_____中文报。

(4) 从这儿海运到东京，一个月_____吗？

(5) 这本小说，你一个星期_____吗？

(6) 我们只见过一面，他的名字我_____。

2 用"不但……而且……"完成句子 Complete the sentences with "不但……而且……"

(1) 那儿不但名胜古迹很多，_____。

(2) 抽烟_____，而且对别人的身体也不好。

(3) 他不但会说汉语，_____。

(4) 昨天在欢送会上不但_____，而且别的班的同学也都演了节目。

3 用"为了"完成句子 Complete the sentences with "为了"

(1) _____，我要去旅行。

(2) _____，我们要多听多说。

(3) _____，你别骑快车了。

(4) _____，我买了一张画儿。

4 完成对话 Complete the conversation

A：_____？

B：我去托运行李。

A：_____？

B：运到上海。

A：_____？

B：七八天。

A：运费贵吗?

B：_____。

A：你拿得动吗? 要不要我帮忙?

B：_____。

5 会话 Make a dialogue

去邮局寄包裹。与营业员对话。

提示：东西是不是超重、邮费多少、多长时间能到。

You went to a post office to mail a parcel to somebody and had a conversation with a post-office employee.

Suggested points: You asked if your parcel was overweight, what the postage was and how long it would take to get there.

6 听述 Listen and retell

　　小刘要去韩国，他不知道可以托运多少行李。小张去过法国，去法国和去韩国一样，可以托运二十公斤(gōngjīn kilogram)，还可以带一个五公斤的小包。小刘东西比较多，从邮局寄太贵。小张让他海运，海运可以寄很多，而且比较便宜。小刘觉得这是个好主意(zhǔyi idea)。

⑦ 语音练习 Phonetic drills

（1）常用音节练习 Drill on the frequently used syllables

	huāyuán	花园		shénme	什么
yuan	hěn yuǎn	很远	me	zěnmeyàng	怎么样
	yuànyì	愿意		zhème	这么

（2）朗读会话 Read aloud the conversation

A: Xiǎojie, wǒ yào jì shū, hǎiyùn.

B: Wǒ kànkan, à, chāo zhòng le.

A: Yì bāo kěyǐ jì duōshao?

B: Wǔ gōngjīn.

A: Wǒ ná chu jǐ běn lai ba.

B: Hǎo.

不能送你去机场了

I CAN'T GO TO THE AIRPORT TO SEE YOU OFF

1

句子　Sentences

285　你 准备 得 怎么样 了？　Are you ready?
Nǐ zhǔnbèi de zěnmeyàng le?

286　你 还有 什么 没 办 的 事，　If you have anything to attend to,
Nǐ háiyǒu shénme méi bàn de shì,　I can take care of it.

我 可以 替 你 办。
wǒ kěyǐ tì nǐ bàn.

287　我 冲洗了 一些 照片，　I have got some photos developed,
Wǒ chōngxǐle yìxiē zhàopiàn,　but I have got no time to fetch them.

来 不及 去 取 了。
lái bu jí qù qǔ le.

288　我 正 等着 你 呢!　I am just waiting for you.
Wǒ zhèng děngzhe nǐ ne!

289　你 的 东西 收拾 好 了 吗？　Have you got your things ready?
Nǐ de dōngxi shōushi hǎo le ma?

290　出　门　跟　在　家　不　一样，①
Chū mén gēn zài jiā bù yíyàng,

麻烦　事　就　是　多。
máfan shì jiù shì duō.

Going on a trip is not like staying at home, and you'll certainly have more problems to solve.

291　四　个　小包　不如　两个
Sì ge xiǎo bāo bùrú liǎng ge

大包　好。
dà bāo hǎo.

Four small parcels are not as convenient as two big parcels.

292　又　给　你　添麻烦　了。
Yòu gěi nǐ tiān máfan le.

I am sorry to trouble you again.

2 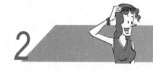 会话 Conversation

1......

王兰：　准备　　得　怎么样　了？
Wáng Lán：Zhǔnbèi de zěnmeyàng le?

玛丽：　我　正　收拾　东西　呢。你看，　多　乱　啊！
Mǎlì：Wǒ zhèng shōushi dōngxi ne. Nǐ kàn, duō luàn a!

王兰：　路上　要　用　的　东西　放　在　手提包　里，
Wáng Lán：Lù shang yào yòng de dōngxi fàng zài shǒutíbāo li,

这样　　用　起来　方便。②
zhèyàng yòng qǐ lai fāngbiàn.

玛丽：　对。我　随身　带　的　东西　不　太　多，两　个　箱子
Mǎlì：　Duì. Wǒ suíshēn dài de　dōngxi　bú　tài duō，liǎng ge xiāngzi

　　　　都　已经　托运　了。
　　　　dōu yǐjing　tuōyùn le.

王兰：　真　抱歉，　我　不能　送　你　去　机场　了。
Wáng Lán：　Zhēn bàoqiàn，　wǒ　bù néng sòng nǐ　qù　jīchǎng　le.

玛丽：　没　关系。你　忙　吧。
Mǎlì：　Méi guānxi. Nǐ　máng　ba.

王兰：　你　还有　什么　没办　的　事，我　可以　替　你　办。
Wáng Lán：　Nǐ　hái yǒu shénme　méi bàn de　shì，wǒ　kěyǐ　tì　nǐ　bàn.

玛丽：　我　冲洗了　一些　照片，　来不及　去　取　了。
Mǎlì：　Wǒ chōngxǐle　yìxiē zhàopiàn，　lái bu jí　qù　qǔ　le.

王兰：　星期六　或者　星期天　我　替　你　去　取，然后　寄
Wáng Lán：　Xīngqīliù　huòzhě　xīngqītiān wǒ　tì　nǐ　qù　qǔ，ránhòu　jì

　　　　给　你。
　　　　gěi　nǐ.

2.....

大卫： 你 来 了，我 正 等着 你呢！
Dàwèi： Nǐ lái le, wǒ zhèng děngzhe nǐ ne!

刘京： 你 的 东西 收拾 好 了 吗？
Liú Jīng： Nǐ de dōngxi shōushi hǎo le ma?

大卫： 马马 虎虎。 这次 又 坐 火车 又 坐
Dàwèi： Mǎmǎ hūhū. Zhè cì yòu zuò huǒchē yòu zuò

飞机，特别 麻烦。
fēijī, tèbié máfan.

刘京： 是 啊，出 门 跟 在 家 不 一样，麻烦 事 就
Liú Jīng： Shì a, chū mén gēn zài jiā bù yíyàng, máfan shì jiù

是 多。这 几 个 包 都是 要 带走 的 吗？
shì duō. Zhè jǐ ge bāo dōu shì yào dài zǒu de ma?

大卫： 是 的。 都 很 轻。
Dàwèi： Shì de. Dōu hěn qīng.

刘京： 四 个 小包 不如
Liú Jīng： Sì ge xiǎo bāo bùrú

两 个 大包 好。
liǎng ge dà bāo hǎo.

大卫： 好 主意！
Dàwèi： Hǎo zhǔyi!

刘京： 我 帮 你 重 新 弄弄 吧。
Liú Jīng： Wǒ bāng nǐ chóngxīn nòngnong ba.

大卫：　又　给　你　添　麻烦　了。
Dàwèi：　Yòu gěi nǐ　tiān máfan le.

刘京：　哪儿　的话。
Liú Jīng：　Nǎr　dehuà.

大卫：　另外，　要是　有　我　的　信，请　你　转　给　我。
Dàwèi：　Lìngwài, yàoshi yǒu　wǒ　de　xìn, qǐng nǐ zhuǎn gěi wǒ.

刘京：　没　问题。
Liú Jīng：　Méi　wèntí.

注释：Notes

① "出门跟在家不一样。"

这里的"出门"是指离家远行。
"出门" here means that one journeys far away from home.

② "这样用起来方便。"

"用起来"的意思是"用的时候"。
"用起来" means "when using it".

3 替换与扩展 Substitution and Extension

替换

1. 星期六或者星期天<u>我</u>替<u>你</u>去<u>取照片</u>。

哥哥	我	报名
我	妈妈	接人
我	朋友	交电费

2. <u>四个小包</u>不如<u>两个大包</u>好。

这种鞋	那种鞋	结实
这条街	那条街	安静
这种茶	那种茶	好喝

3. 你还有什么<u>没办的事</u>，我可以<u>替你办</u>。

不了解的情况	给你介绍
不懂的词	帮你翻译
没买的东西	帮你买

扩展

1. 我 走进 病房 看 他 的 时候，他 正
   Wǒ zǒu jìn bìngfáng kàn tā de shíhou, tā zhèng

   安静 地 躺着 呢。
   ānjìng de tǎngzhe ne.

2. 离 开 车 还 有 十 分钟， 我 来 不 及
   Lí kāi chē hái yǒu shí fēnzhōng, wǒ lái bu jí

   回去拿 手机 了，麻烦 你 替 我 关 一下儿。
   huí qu ná shǒujī le. máfan nǐ tì wǒ guān yíxiàr.

4  生 词 New Words

1	替	（介、动）	tì	for; to do sth. for sb.
2	冲洗	（动）	chōngxǐ	to develop
3	不如	（动）	bùrú	not as good as, can't compare with
4	添	（动）	tiān	to add
5	乱	（形）	luàn	disorder, chaotic
6	手提包	（名）	shǒutíbāo	handbag
7	随身	（副）	suíshēn	(to carry) on one's person
8	或者	（连）	huòzhě	or
9	特别	（副、形）	tèbié	special; especially
10	轻	（形）	qīng	light
11	主意	（名）	zhǔyi	idea
12	重新	（副）	chóngxīn	again
13	另外	（连、副）	lìngwài	moveover, besides; additional
14	转	（动）	zhuǎn	to pass to
15	报名		bào míng	to report, to register
16	鞋	（名）	xié	shoes
17	结实	（形）	jiēshi	solid, durable
18	街	（名）	jiē	street
19	安静	（形）	ānjìng	quiet
20	了解	（动）	liǎojiě	to know, to understand

| 21 病房 | （名） | bìngfáng | ward of a hospital |

5 语 法 Grammar

1 动作的持续与进行 The continuation and progression of an action

　　动作的持续一般也就意味着动作正在进行，所以"着"常和"正在"、"正"、"在"、"呢"等词连用。例如：

The continuation of an action normally means that the action is going on right now. Therefore, "着" is usually used together with such words as "正在", "正", "在", "呢", e.g.

(1) 我正等着你呢。　　　　(2) 外边下着雨呢。

(3) 我去的时候，他正躺着看杂志呢。

2 用"不如"表示比较 The use of "不如" for comparison

　　"A 不如 B"的意思，即"A 没有 B 好"。例如：

"A 不如 B" means "A is not as good as B", e.g.

(1) 我的汉语水平不如他高。　　(2) 这个房间不如那个房间干净。

6 练 习 Exercises

1 用"还是"或"或者"填空 Fill in the blanks with "还是" or "或者"

(1) 你这星期走_____下星期走?

(2) 你坐飞机去_____坐火车去?

(3) 今天_____明天，我去看你。

（4）这次旅行，我们先去上海_____先去桂林?

（5）我们走着去____骑自行车去，别坐公共汽车，公共汽车人太多。

（6）现在我们收拾行李，_____去和同学们告别?

② 用"不如"改写下面的句子 Rewrite the following sentences with "不如"

（1）他的手提包比我的漂亮。

（2）北京的春天冷，我们那儿的春天暖和。

（3）那个公园的人太多，这个公园安静。

（4）你的主意好，小王的主意不太好。

③ 用"替"完成句子 Complete the sentences with "替"

（1）今天有我一个包裹，可是现在我有事，你去邮局的话，请_____，好吗?

（2）我也喜欢这种糖，你去买东西的时候，_____。

（3）现在我出去一下，要是有电话来_____。

（4）我头疼，不去上课了，你看见老师的时候，_____。

④ 完成对话 Complete the conversation

A：小刘，你去广州出差，_____?

刘：是的。_____?

B：没事。广州比这儿热得多，你要_____!

刘：谢谢!_____，给你们带一些水果。

A：不用了，这儿_____。

刘：不一样，这儿的_____新鲜(xīnxiān fresh)。

B：那先谢谢你了!

5 会话 Make a dialogue

你的中国朋友要去你们国家留学，你去宿舍看他，两人会话。
提示：准备的情况怎样，需要什么帮助，介绍那儿的一些情况。

Your Chinese friend is going to study in your country. You called on him in the dormitory and had a conversation with him.

Suggested points：You asked him if he had got everything ready and what kind of help he might need. You also told him something about your country.

6 听述 Listen and retell

尼娜今天要回国，我们去她的宿舍看她。她把行李都收拾好了，正等出租汽车呢。我看见墙上还挂着她的大衣，问她是不是忘了，她说不是，走的时候再穿。问她没用完的人民币换了没有，她说到机场换。这样我们就放心了。出租汽车一到，我们就帮她拿行李，送她上了车。

7 语音练习 Phonetic drills

（1）常用音节练习 Drill on the frequently used syllables

dong	dōngxi	东西	tong	tōngzhī	通知
	dǒng le	懂了		tóngxué	同学
	yùndòng	运动		chuántǒng	传统

（2）朗读会话 Read aloud the conversation

A：À, nǐmen dōu zài zhèr ne!
B：Wǒmen yě shì gāng lái.
C：Nǐmen dōu lái gěi wǒ sòng xíng, zhēn guò yì bú qù.
B：Lǎo péngyou bù néng bú sòng.
A：Shì a, zhēn shěbudé ne.
C：Xièxie péngyoumen.
A、B：Zhù nǐ yílù shùnlì!

祝你一路平安

HAVE A PLEASANT JOURNEY

1 句子 Sentences

293 离 起飞 还 早 呢。
Lí qǐfēi hái zǎo ne.

There is a plenty of time before the take-off.

294 你 快 坐下， 喝点儿
Nǐ kuài zuò xia, hē diǎnr

冷饮 吧。
lěngyǐn ba.

Please sit down and have a cold drink.

295 你 没把 护照 放在
Nǐ méi bǎ hùzhào fàng zài

箱子 里 吧?
xiāngzi li ba?

You didn't put your passport in the trunk, did you?

296 一会儿 还要 办 出
Yíhuìr hái yào bàn chū

境 手续 呢。
jìng shǒuxù ne.

In a moment I'll go through exit formalities.

297 一路上 多 保重。
Yílù shang duō bǎozhòng.

Take good care of yourself on the trip.

298 希望　你常　跟　我们
Xīwàng　nǐ cháng gēn　wǒmen

联系。
liánxì.

I wish you would often get in touch with us.

299 你可别 把 我们　忘了。
Nǐ kě bié bǎ wǒmen wàng le.

Never forget us.

300 我 到了那儿，　就 给
Wǒ dàole　nàr,　jiù gěi

你们　打 电话。
nǐmen　dǎ diànhuà.

I'll call you as soon as I get there.

301 祝 你　一路 平安！
Zhù nǐ　yílù píng'ān!

I wish you a pleasant journey.

2　会话　Conversation

刘京：　离　起飞　还　早　呢。
Liú Jīng：　Lí　qǐfēi　hái　zǎo　ne.

玛丽：　我们　去　候机室　坐　一会儿。
Mǎlì：　Wǒmen　qù　hòujīshì　zuò　yíhuìr.

王兰：　张　丽英　还　没　来。
Wáng Lán：　Zhāng Lìyīng　hái　méi　lái.

刘京：　你　看，她　跑　来　了。
Liú Jīng：　Nǐ　kàn，tā　pǎo　lai　le.

丽英：　车　太　挤，耽误　了　时间，我　来　晚　了。
Lìyīng：　Chē　tài　jǐ，dānwu　le　shíjiān，wǒ　lái　wǎn　le.

刘京：　不　晚，你　来　得　正　合适。
Liú Jīng：　Bù　wǎn，nǐ　lái　de　zhèng　héshì.

王兰：　哎呀，你　跑　得　都　出汗　了。
Wáng Lán：　Āiyā，nǐ　pǎo　de　dōu　chū hàn　le.

玛丽：　快　坐下，喝点儿　冷饮　吧。
Mǎlì：　Kuài　zuò xia，hē diǎnr　lěngyǐn　ba.

刘京：　你　没把　护照　放在　箱子　里　吧？
Liú Jīng：　Nǐ　méi bǎ　hùzhào　fàng zài　xiāngzi　li　ba?

玛丽：　我　随身　带着　呢。
Mǎlì：　Wǒ　suíshēn　dàizhe　ne.

王兰：　你　该　进去　了。
Wáng Lán：　Nǐ　gāi　jìn qu　le.

丽英：　一会儿　还　要　办　出　境　手续　呢。
Lìyīng：　Yíhuìr　hái　yào bàn　chū　jìng　shǒuxù　ne.

2 ....

王兰：　　给 你 行李，拿好。 准备　海关　检查。
Wáng Lán：　Gěi nǐ xíngli, ná hǎo. Zhǔnbèi hǎiguān jiǎnchá.

丽英：　　一路上　多　保重。
Lìyīng：　 Yílù shang duō bǎozhòng.

刘京：　　希望　你常　跟　我们　联系。
Liú Jīng：　Xīwàng nǐ cháng gēn wǒmen liánxì.

王兰：　　你 可 别 把 我们　忘 了。
Wáng Lán：　Nǐ kě bié bǎ wǒmen wàng le.

玛丽：　　不 会 的。我 到了那儿， 就 给 你们 打 电话。
Mǎlì：　　Bú huì de. Wǒ dàole nàr, jiù gěi nǐmen dǎ diànhuà.

刘京：　　问候　你 全 家 人！
Liú Jīng：　Wènhòu nǐ quán jiā rén!

王兰：　　问 安妮 小姐　好！
Wáng Lán：　Wèn Ānnī xiǎojie hǎo!

大家：　　祝 你 一路　平安！
dàjiā：　　Zhù nǐ yílù píng'ān!

玛丽：　　再见　了！
Mǎlì：　　Zàijiàn le!

大家：　　再见！
dàjiā：　　Zàijiàn!

3  替换与扩展 Substitution and Extension

替换

1. 你没把<u>护照</u> <u>放</u>在
   <u>箱子里</u>吧?

帽子	忘	汽车上
钥匙	锁	房间里
牛奶	放	冰箱里

2. 你可别把<u>我们</u> <u>忘</u>了。

这件事	耽误
这支笔	丢
那句话	忘

3. 希望你<u>常来信</u>。

认真学习	好好考虑
继续进步	努力工作

扩展

1. 今天　我们　下了　班　就　去　看　展览　了。
   Jīntiān wǒmen xiàle bān jiù qù kàn zhǎnlǎn le.

2. 昨天　我　没　上　班，我　去　接　朋友　了。
   Zuótiān wǒ méi shàng bān, wǒ qù jiē péngyou le.

   我　去　的　时候，他　正在　办　入境　手续。
   Wǒ qù de shíhou, tā zhèngzài bàn rù jìng shǒuxù.

汉语会话301句

4 生 词 New Words

1	冷饮	(名)	lěngyǐn	cold drink
2	出境		chū jìng	to leave the country
3	保重	(动)	bǎozhòng	to take care
4	希望	(动、名)	xīwàng	to hope；wish
5	可	(副)	kě	(for emphasis)
6	平安	(形)	píng'ān	safe
7	候机室	(名)	hòujīshì	airport lounge
8	跑	(动)	pǎo	to run
9	挤	(形、动)	jǐ	crowded, jammed; to squeeze
10	耽误	(动)	dānwu	to delay
11	合适	(形)	héshì	proper
12	汗	(名)	hàn	sweat
13	海关	(名)	hǎiguān	customs
14	问候	(动)	wènhòu	to greet, to ask after
15	帽子	(名)	màozi	cap, hat
16	牛奶	(名)	niúnǎi	milk
17	认真	(形)	rènzhēn	careful, conscientious, earnest
18	考虑	(动、名)	kǎolǜ	to think；consideration
19	进步	(形)	jìnbù	progressive
20	努力	(形)	nǔlì	to make an effort
21	下班		xià bān	come or go off work

22	展览	（动、名）	zhǎnlǎn	to exhibit; exhibition
23	上班		shàng bān	to go to work
24	入境		rù jìng	to enter a country

专名　Proper Names

| 安妮 | Ānnī | Anne |

5　语　法 Grammar

1　"把"字句(3) The "把" sentence (3)

❶ "把"字句的否定形式是在"把"之前加否定副词"不"或"没"。例如：

The negative sentence with "把" is formed by putting the negative adverb "不"or"没" before "把", e.g.

(1) 安娜没把这课练习作完。

(2) 他没把那件事告诉小张。

(3) 今天晚上不把这本小说看完，就不休息。

(4) 你不把书带来怎么上课？

❷ 如有时间状语也必须放在"把"之前。例如：

If an adverbial of time is needed, it should also be placed before "把", e.g.

(5) 他明天一定把照片带来。　(6) 小王昨天没把开会的时间通知大家。

2　"……了……就……" The expression "…了…就…"(no sooner...than...)

表示一个动作完成紧接着发生第二个动作。例如：

It indicates that one action takes place immediately after another, e.g.

(1) 昨天我们下了课就去参观了。(2) 他吃了饭就去外边散步了。

(3) 明天我吃了早饭就去公园。

6  练 习 Exercises

1 熟读下列词组并选择造句 Read until fluent the following words and make sentences with some of them

耽误学习	进步很大	很合适	努力工作
耽误时间	有进步	不合适	很努力
耽误了两天课	学习进步	合适的时间	继续努力

2 用"希望"完成句子 Complete the sentences with "希望"

(1) 这次考试_____。

(2) 你回国以后_____。

(3) 你在医院要听大夫的话，好好休息。_____。

(4) 每个爸爸、妈妈都_____。

(5) 我第一次来中国，_____。

(6) 这次旅行_____。

3 给词语选择适当的位置 Insert the given words into the follwing sentences at the suitable places

(1) 她昨天 A 把 B 练习 C 做完。（没）

(2) 他 A 今天晚上 B 把这张画儿 C 画完，就不休息。（不）

(3) 昨天我们下 A 课 B 就去 C 参观 D。（了）

(4) 他每天吃 A 饭 B 就去 C 外边散步。（了）

4 选择适当的词语填空 Fill in the blanks with proper words/phrases from those given below

平安	特别	一边……一边……	演	替	为	希望	要……了

尼娜_____回国_____，我们____她开了一个欢送会。那天___热闹，同学们____谈话_____喝茶，还_____了不少节目。我们说____她回国以后常来信，而且_____我们问候她全家，祝她一路_____。

5 **完成对话** Complete the conversation

A：小李，你这次出差去多长时间？

B：_____。

A：出差很累，你要_____。

B：谢谢，我一定注意。你要买什么东西吗？

A：不买。太麻烦了。

B：_____，我可以顺便给你带回来。

A：不用了。祝你_____！

B：谢谢！

6 **说话** Talk about the following topic

谈谈你来中国的时候，朋友或家里人给你送行的情况。

Say something about the send-off your friends or family gave you when you were leaving for China.

7 **听述** Listen and retell

妹妹第一次出远门，要到英国（Yīngguó England）去留学。我们全家送她到机场。她有两件行李，我和爸爸替她拿。妈妈很不放心，让她路上要注意安全，别感冒，到了英国就来电话，把那儿的情况告诉我们。爸爸说妈妈说得太多了，妹妹已经不是小孩子了，应该让她到外边锻炼锻炼。妈妈说："俗话（súhuà folksay）说'儿行千里母担忧'（ér xíng qiān lǐ mǔ dānyōu the mother worries for her son bound for far off land），孩子到那么远的地方去，我当然不放心。怎么能不说呢？"

8 语音练习 Phonetic drills

(1) 常用音节练习 Drill on the frequently used syllables

shu	shūjià	书架	jiao	jiāo qián	交钱
	shǔ yi shǔ	数一数		dà jiǎo	大脚
	dà shù	大树		shuì jiào	睡觉

(2) 朗读会话 Read aloud the conversation

A: Qǐng kàn yíxiàr nín de hùzhào hé jīpiào.

B: Zěnme tuōyùn xíngli?

A: Nín xiān tián yíxiàr zhè zhāng biǎo.

B: Tián wán le.

A: Gěi nín hùzhào hé jīpiào, nín kěyǐ qù tuōyùn xíngli le.

B: Hǎo, xièxie!

一、会话 Conversation

〔汉斯(Hans)和小王是好朋友。现在汉斯要回国了，小王送他到火车站。〕

王： 我们进站去吧。

汉斯： 你就送到这儿，回去吧。

王： 不，我已经买了站台(zhàntái platform)票了。来，你把箱子给我，我帮你拿。

汉斯： 我拿得动。

王： 你拿手提包，我拿箱子。别客气。你看，这就是国际列车(guójì lièchē international train)。

汉斯： 我在9号车厢(chēxiāng railway car)。

王： 前边的车厢就是。

王： 汉斯，箱子放在行李架(xínglijià luggage rack)上。

汉斯： 这个手提包也要放在行李架上吗?

王： 这个包放在座位下边，拿东西方便一些。

汉斯： 现在离开车还早，你坐一会儿吧。

王： 你的护照放在身边没有?

汉斯： 哟(yō a model partical)!我的护照怎么没有了?

王： 别着急，好好想想，不会丢了吧?

汉斯： 对了!放在手提包里了。你看，我的记性(jìxing memory)真坏。

王： 马上就要开车了，我下去了。你到了就跟我联系。

汉斯： 一定。

王： 问你家里人好!祝你一路平安!

汉斯： 谢谢!再见!

二、语法 Grammar

(一)动词的态 Aspects of the verb

❶ 动作即将发生，可以用"要……了"、"快要……了"或"就要……了"来表示。例如：

"要…了"，"快要…了" or "就要…了" can be used to indicate that an action is going to happen immediately, e.g.

(1) 飞机就要起飞了。　　(2) 快要到北京了。

(3) 明天就要放假了。　　(4) 他要考大学了。

❷ 动作的进行，可用"正在"、"正"、"在"、"呢"或"（正）在……呢"等表示。例如：

"正在"，"正"，"在"，"呢" or "（正）在…呢" can be used to indicate an ongoing action, e.g.

(1) 我正在看报呢。　　(2) 他在跳舞呢。

(3) 你在写毛笔字吗?

　　——我没写毛笔字，我正画画儿呢。

❸ 动作或状态的持续，可用"着"表示，否定形式用"没有……着"。例如：

"着" may be used to indicate the continuation of an action or a state. Its negative form is "没有…着"，e.g.

(1) 墙上挂着几张照片。

(2) 桌子上放着花儿，花儿旁边放着几本书。

(3) 他一边唱着歌，一边洗着衣服。

(4) 通知上没写着他的名字。

❹ 动作的完成，可以用动态助词"了"表示。否定形式用"没（有）"。例如：

The aspect particle "了" may be used to indicate the completion of an action. Its negative form is "没有"，e.g.

(1) 我看了一个电影。　　(2) 我买了两支铅笔。

(3) 他喝了一杯茶。　　　(4) 他没喝咖啡。

⑤ 过去的经历用"过"表示，否定式是 "没有……过"。例如：

"过" is used to indicate a past experience. Its negative form is "没有…过"，e.g.

> (1) 我去过上海。　　　　(2) 他以前学过汉语。
> (3) 他还没吃过烤鸭呢。

(二)几种特殊的动词谓语句 Sentences with special verbal predicates

❶ "是"字句　The "是" sentence

> (1) 他是我的同学。　　　　(2) 前边是一个中学，不是大学。
> (3) 那个电视机是新的。

❷ "有"字句　The "有" sentence

> (1) 我有汉语书，没有法语书。
> (2) 我有哥哥，没有妹妹。
> (3) 他有很多小说和杂志。

❸ 用"是……的"强调动作的时间、地点或方式等的句子。例如：

The sentence with the "是…的" construction is to stress when, where or how the action occurred, e.g.

> (1) 他是从欧洲来的。
> (2) 我是坐飞机去上海的。
> (3) 他妹妹是昨天到这儿的。
> (4) 那本杂志是从李红那儿借来的。

❹ 存现句 The sentence expressing existence, appearance, or disappearance

> (1) 床旁边放着一个衣柜。　　(2) 那边走过来一个人。
> (3) 我们班走了两个美国同学。　(4) 桌子上有一本书。

❺ 连动句 The sentence with verbal constructions in series

> (1) 我去商店买东西。　　　(2) 我有一个问题要问你。
> (3) 我没有钱花了。　　　　(4) 他们去医院看一个病人。

6 兼语句 The pivotal sentence

(1) 老师让我们听录音。　　(2) 他请我吃饭。
(3) 外边有人找你。

7 "把"字句 The "把" sentence

(1) 他把信给玛丽了。　　　(2) 他想把这件事告诉小王。
(3) 别把东西放在门口。　　(4) 他没把那本小说还给小刘。
(5) 她把孩子送到医院了。

三、练习 Exercises

1 **按照实际情况回答问题** Answer the questions according to actual situations

(1) 你回国的时候，怎么向中国朋友、中国老师告别？
   提示：在中国学习、生活觉得怎么样，怎么感谢他们的帮助等等。
   How will you bid farewell to your Chinese friends and teachers on returning home?
   Suggested points: What will you think of your study and life in China? How will you
           thank them for their help?

(2) 你参加过什么样的告别活动？
   提示：欢送会、吃饭、照相、演节目等等。
   What farewell parties have you taken part in?
   Suggested points: Send-off party, dinner, picture-taking, performances and so on.

2 **会话** Conversations

(1) 告别 Farewell

我来向你告别。　　　　　　日子过得真快。
我要……了。　　　　　　　哪天走？
谢谢你对我的照顾。　　　　真舍不得啊！
给你们添了不少麻烦。　　　对你的照顾很不够。
不用送。　　　　　　　　　你太客气了。

哪儿的话!
没什么。
不用谢。
准备得怎么样了?
……都收拾好了吗?
我帮你……

(2) 送行 Send-off

祝你一路平安!
路上多保重。
问……好!
请问候……
希望你常来信。

(3) 托运 Consignation

这儿能托运吗?　　　运什么?
可以海运吗?　　　　运到哪儿?
要多长时间?　　　　您的地址、姓名?
运费怎么算?　　　　请填一下表。
　　　　　　　　　　按照……收费。

❸ **完成对话** Complete the conversation

A：你什么时候走?

B：_____。

A：_____?

B：都托运了。谢谢你的照顾。

A：_____，照顾得很不够。

B：_____。

A：我一定转告。请问候你们全家。

B：_____，我也一定转告。

A：祝你_____!再见!

B：_____。

❹ 语音练习 Phonetic drills

（1）声调练习：第一声+第四声 Drill on tones：1st tone+4th tone

bāngzhù	（帮助）
xiānghù bāngzhù	（相互帮助）
xīwàng xiānghù bāngzhù	（希望相互帮助）

（2）朗读会话 Read aloud the conversation

A: Wǒ kuài huí guó le, jīntiān lái xiàng nǐ gào bié.

B: Shíjiān guò de zhēn kuài, shénme shíhou zǒu?

A: Hòutiān xiàwǔ liǎng diǎn bàn.

B: Xīwàng wǒmen yǐhòu hái néng jiàn miàn.

A: Xièxie nǐ hé dàjiā duì wǒ de zhàogù.

B: Nǎr de huà, nǐ tài kèqi le. Hòutiān wǒ qù sòng nǐ.

A: Búyòng sòng le.

B: Bié kèqi.

四、阅读短文 Reading Passage

　　今天晚上有中美两国的排球赛。这两个国家的女排打得都很好。我很想看，可是买不到票，只能在宿舍看电视了。

　　这个比赛非常精彩。两局（jú　set）的结果（jiéguǒ　score）是1比1。现在是第三局，已经打到了12比12了，很快就能知道结果了。正在这时候，王兰走了进来，告诉我有两个美国人在楼下传达室（chuándáshì　reception office）等我。他们是刚从美国来的。我不能看排球赛了，真可惜！

　　我一边走一边想，这两个人是谁呢？对了，我姐姐发来电子邮件说，她有两个朋友要来北京，问我要带什么东西。很可能就是我姐姐的朋友来了。

　　我开门走进传达室一看，啊!是我姐姐和她的爱人。我高兴极了。马上又问她："你们来，为什么不告诉我？"他们两个都笑了，她说："要是先告诉你，就没有意思了。"

词汇表　Vocabulary

220